D1176751

N'ESPÉREZ PAS VOUS DÉBARRASSER DES LIVRES

JEAN-CLAUDE CARRIÈRE
&
UMBERTO ECO

■

N'ESPÉREZ PAS
VOUS DÉBARRASSER
DES LIVRES

Entretiens menés par
Jean-Philippe de Tonnac

BERNARD GRASSET
PARIS

ISBN : 978-2-246-74271-5

© *Éditions Grasset & Fasquelle, 2009.*

Préface

« Ceci tuera cela. Le livre tuera l'édifice. » Hugo place sa formule fameuse dans la bouche de Claude Frollo, l'archidiacre de Notre-Dame de Paris. Sans doute l'architecture ne mourra-t-elle pas, mais elle perdra sa fonction d'étendard d'une culture qui se transforme. « Quand on la compare à la pensée qui se fait livre, et à qui il suffit d'un peu de papier, d'un peu d'encre et d'une plume, comment s'étonner que l'intelligence humaine ait quitté l'architecture pour l'imprimerie ? » Nos « Bibles de pierre » n'ont pas disparu, mais l'ensemble de la production des textes manuscrits puis imprimés, cette « fourmilière des intelligences », cette « ruche où toutes les imaginations, ces abeilles dorées, arrivent avec leur miel », les a soudain, à la fin du Moyen Age, singulièrement déclassées. De la même manière, si le livre électronique finit par s'imposer aux dépens du livre imprimé, il y a peu de raisons qu'il parvienne à le faire sortir de nos maisons et de nos habitudes. L'« e-book » ne tuera donc pas le livre. Pas davantage que Gutenberg et sa géniale invention n'ont supprimé du jour au lendemain l'usage des codex, ni celui-ci le commerce des rouleaux de papyrus ou *volumina*. Les pratiques et les habitudes coexistent et nous n'aimons rien tant qu'élargir l'éventail des possibles. Le film a-t-il tué le tableau? La télévision le cinéma? Bienvenue donc aux tablettes et périphériques de lecture qui nous garantissent l'accès, à travers un seul écran, à la bibliothèque universelle désormais numérisée.

La question est plutôt de savoir quel changement introduira la lecture sur écran à ce que nous avons jusqu'à ce jour approché en tournant les pages des livres? Que gagnerons-nous avec ces nouveaux petits livres blancs, et d'abord, que perdrons-nous? Des habitudes surannées, peut-être. Une certaine sacralité dont le livre fut entouré dans le contexte d'une civilisation qui l'avait placé sur l'autel. Une intimité particulière entre l'auteur et son lecteur que la notion d'hypertextualité va nécessairement mettre à mal. L'idée de « clôture » que le livre symbolisait et par là même, à l'évidence, certaines pratiques de lecture. « En brisant le lien ancien noué entre les discours et leur matérialité, déclarait ainsi Roger Chartier lors de sa leçon inaugurale au Collège de France, la révolution numérique oblige à une radicale révision des gestes et des notions que nous associons à l'écrit. » De profonds bouleversements, probablement, mais dont nous nous remettrons.

L'enjeu des échanges entre Jean-Claude Carrière et Umberto Eco n'était pas de statuer sur la nature des transformations et perturbations que peut annoncer l'adoption à grande échelle (ou non) du livre électronique. Leur expérience de bibliophiles, collectionneurs de livres anciens et rares, chercheurs et traqueurs d'incunables, les amène plutôt ici à considérer que le livre est, comme la roue, une sorte de perfection indépassable dans l'ordre de l'imaginaire. Lorsque la civilisation invente la roue, elle est condamnée à se répéter *ad nauseam*. Que nous choisissions de faire remonter l'invention du livre aux premiers codex (environ le IIᵉ siècle de notre ère) ou aux rouleaux de papyrus plus anciens, nous sommes là devant un outil qui, par-delà les mues qu'il a subies, s'est montré d'une extraordinaire fidélité à lui-même. Le livre apparaît ici comme une sorte de « roue du savoir et de l'imaginaire » que les révolutions technologiques annoncées ou redoutées n'arrêteront pas. Une fois cette rassurante mise au point faite, le débat véritable peut s'engager.

Le livre s'apprête à faire sa révolution technologique. Mais qu'est-ce qu'un livre ? Que sont les livres qui, sur nos étagères, sur celles des bibliothèques du monde entier, renferment les connaissances et les rêveries que l'humanité accumule depuis qu'elle est en situation de s'écrire ? Quelle image avons-nous de cette odyssée de l'esprit à travers eux ? Quels miroirs nous tendent-ils ? En ne considérant que l'écume de cette production, les chefs-d'œuvre autour desquels s'établissent les consensus culturels, sommes-nous fidèles à leur fonction propre qui est de mettre simplement en lieu sûr ce que l'oubli menace toujours d'anéantir ? Ou bien devons-nous accepter une image moins flatteuse de nous-mêmes en considérant l'extraordinaire indigence qui caractérise *aussi* cette profusion d'écrits ? Le livre est-il nécessairement le symbole des progrès sur nous-mêmes censés nous faire oublier les ténèbres dont nous croyons toujours être désormais sortis ? De quoi nous parlent exactement les livres ?

A ces inquiétudes sur la nature du témoignage qu'apportent nos bibliothèques à une plus sincère connaissance de nous-mêmes, viennent s'ajouter des interrogations sur ce qui est précisément parvenu jusqu'à nous. Les livres sont-ils le reflet fidèle de ce que le génie humain, plus ou moins bien inspiré, a produit ? Aussitôt posée, la question jette le trouble. Comment ne pas nous souvenir tout d'un coup de ces brasiers où tant de livres continuent à se consumer ? Comme si les livres et la liberté d'expression dont ils sont devenus aussitôt le symbole avaient engendré autant de censeurs soucieux d'en contrôler l'usage et la diffusion, et parfois de les confisquer pour jamais. Et lorsqu'il ne fut pas question de destruction organisée, ce furent des bibliothèques entières que le feu, par simple passion de brûler et de réduire en cendres, ramena au silence – les bûchers venant comme se nourrir les uns les autres jusqu'à entretenir l'idée que cette incontrôlable profusion légitimait une manière de régulation. Ainsi l'histoire de la production des livres est-elle indissociable de celle d'un véritable bibliocauste toujours recommencé. Censure, ignorance, imbécillité, inquisition, autodafé, négligence, distraction, incendie auront ainsi constitué autant d'écueils, parfois fatals, sur le chemin des livres. Tous les efforts d'archivage et de conservation n'auront donc jamais empêché que des *Divine Comédie* demeurent à jamais inconnues.

De ces considérations sur le livre et sur les livres qui, en dépit de tous ces élans destructeurs, nous sont parvenus, procèdent deux idées autour desquelles ces entretiens à bâtons rompus, menés à Paris au domicile de Jean-Claude Carrière et à Monte Cerignone, dans la maison d'Umberto Eco, se sont organisés. Ce que nous appelons la culture est en réalité un long processus de sélection et de filtrage. Des collections entières de livres, de peintures, de films, de bandes dessinées, d'objets d'art ont ainsi été retenues par la main de l'inquisiteur, ou ont disparu dans les flammes, ou bien se sont perdues par simple négligence. Etait-ce la meilleure part de l'immense legs des siècles précédents? Etait-ce la pire? Dans tel domaine de l'expression créatrice, avons-nous recueilli les pépites ou la vase? Nous lisons encore Euripide, Sophocle, Eschyle, que nous regardons comme les trois grands poètes tragiques grecs. Mais lorsque Aristote dans sa *Poétique,* son ouvrage consacré à la tragédie, cite les noms de ses plus illustres représentants, il ne mentionne aucun de ces trois noms. Ce que nous avons perdu était-il meilleur, plus représentatif du théâtre grec, que ce que nous avons conservé? Qui nous ôtera désormais d'un doute?

Nous consolerons-nous en songeant que parmi les rouleaux de papyrus disparus dans l'incendie de la bibliothèque d'Alexandrie, et de toutes les bibliothèques parties en fumée, sommeillaient de probables nanars, des chefs-d'œuvre de mauvais goût et de stupidité? Au regard des trésors de nullité qu'abritent nos bibliothèques, saurons-nous relativiser ces immenses pertes du passé, ces assassinats volontaires ou non de notre mémoire, pour nous satisfaire de ce que nous avons conservé et que nos sociétés, bardées de toutes les technologies du monde, cherchent encore à mettre en lieu sûr sans y parvenir durablement? Quelle que soit notre insistance à faire parler le passé, nous ne pourrons jamais trouver dans nos bibliothèques, nos musées ou nos cinémathèques que les œuvres que le temps n'a pas fait, ou pu faire, disparaître. Plus que jamais nous réalisons que la culture est très précisément ce qui reste lorsque tout a été oublié.

Mais le plus délectable de ces entretiens est peut-être cet hommage rendu à la bêtise, qui veille, silencieuse, sur l'immense labeur opiniâtre de l'humanité et ne s'excuse jamais d'être parfois si péremptoire. C'est précisément là que la rencontre entre le sémiologue et le scénariste, collectionneurs et amoureux des livres, prend tout son sens. Le premier a rassemblé une collection d'ouvrages fort rares sur le faux et l'erreur humaine, dans la mesure où, selon lui, ils conditionnent toute tentative de fonder une théorie de la vérité. « L'être humain est une créature proprement extraordinaire, explique Umberto Eco. Il a découvert le feu, bâti des villes, écrit de magnifiques poèmes, donné des interprétations du monde, inventé des images mythologiques, etc. Mais, en même temps, il n'a pas cessé de faire la guerre à ses semblables, de se tromper, de détruire son environnement, etc. La balance entre la haute vertu intellectuelle et la basse connerie donne un résultat à peu près neutre. Donc, en décidant de parler de la bêtise, nous rendons en un certain sens hommage à cette créature qui est mi-géniale, mi-imbécile. » Si les livres sont censés être l'exact reflet des aspirations et aptitudes d'une humanité en quête de mieux et de plus être, alors ils doivent nécessairement traduire cet excès d'honneur et cette indignité. Ainsi n'espérons pas *non plus* nous débarrasser de ces ouvrages mensongers, erronés, voire, de notre infaillible point de vue, tout à fait stupides. Ils nous suivront comme des ombres fidèles jusqu'à la fin de notre temps et parleront sans mentir de ce que nous avons été et davantage aussi, de ce que nous sommes. A savoir des chercheurs passionnés et opiniâtres mais à vrai dire sans aucun scrupule. L'erreur est humaine dans la mesure où elle appartient à ceux-là seuls qui cherchent et qui se trompent. Pour chaque équation résolue, chaque hypothèse vérifiée, chaque essai transformé, chaque vision partagée, combien de chemins qui ne mènent nulle part? Ainsi les livres illuminent-ils le rêve d'une humanité enfin affranchie de ses fatigantes turpitudes, en même temps qu'ils le ternissent et l'assombrissent.

Scénariste de renom, homme de théâtre, essayiste, Jean-Claude Carrière n'a pas moins de sympathie pour ce monument méconnu, et selon lui pas assez visité, qu'est la bêtise et auquel il a consacré un ouvrage constamment réédité : « Lorsque nous avons entrepris, dans les années soixante, avec Guy Bechtel, notre *Dictionnaire de la bêtise*, nous nous sommes dit : Pourquoi ne s'attacher qu'à l'histoire de l'intelligence, des chefs-d'œuvre, des grands monuments de l'esprit? La bêtise, chère à Flaubert, nous semblait infiniment plus répandue, cela va de soi, mais aussi plus féconde, plus révélatrice et en un sens plus juste. » Et de considérer que cette attention portée à la bêtise l'avait mis dans la situation de comprendre parfaitement les efforts déployés par Eco pour rassembler les témoignages les plus éclatants sur cette ardente et aveugle passion de nous fourvoyer. Sans doute pouvait-on déceler entre l'erreur et la bêtise une sorte de parenté voire de secrète complicité que rien, à travers les siècles, n'avait semblé en mesure de déjouer. Mais plus étonnant pour nous : il existait entre les interrogations de l'auteur du *Dictionnaire de la bêtise* et celles de l'auteur de *La Guerre du faux*, des affinités électives et compassionnelles que ces entretiens ont très largement révélées.

Observateurs et chroniqueurs amusés de ces accidents de parcours, convaincus que nous pouvons saisir quelque chose de l'humaine aventure aussi bien par ses éclats que par ses ratés, Jean-Claude Carrière et Umberto Eco se livrent ici à une improvisation étincelante autour de la mémoire, à partir des flops, des lacunes, des oublis et des pertes irrémédiables qui, tout autant que nos chefs-d'œuvre, la constituent. Ils s'amusent à montrer comment le livre, en dépit des dégâts que les filtrages ont opérés, est finalement passé à travers tous les filets tendus, pour le meilleur et parfois aussi pour le pire. Face au défi que représentent la numérisation universelle des écrits et l'adoption des nouveaux outils de lecture électronique, cette évocation des heurs et malheurs du livre permet de relativiser les mues annoncées. Hommage souriant à la galaxie Gutenberg, ces entretiens raviront tous les lecteurs et amoureux de l'objet livre. Il n'est pas impossible qu'ils nourrissent aussi la nostalgie des possesseurs d'e-books.

Jean-Philippe de Tonnac

Le livre ne mourra pas

Jean-Claude Carrière : Au dernier sommet de Davos, en 2008, à propos des phénomènes qui vont bouleverser l'humanité dans les quinze prochaines années, un futurologue interrogé proposait de n'en retenir que quatre principaux, qui lui semblaient assurés. Le premier est un baril de pétrole à 500 dollars. Le deuxième concerne l'eau, appelée à devenir un produit commercial d'échange exactement comme le pétrole. Nous connaîtrons à la Bourse un cours de l'eau. La troisième prédiction porte sur l'Afrique qui deviendra à coup sûr dans les prochaines décennies une puissance économique, ce que nous souhaitons tous.

Le quatrième phénomène, selon ce prophète professionnel, est la disparition du livre.

La question est donc de savoir si l'évanouissement définitif du livre, s'il disparaît véritablement, peut avoir les mêmes conséquences pour l'humanité que la raréfaction programmée de l'eau, par exemple, ou un pétrole inaccessible.

Umberto Eco : Le livre va-t-il disparaître du fait de l'apparition d'Internet ? J'avais écrit sur ce sujet en son temps, c'est-à-dire au moment où la question semblait pertinente. Désormais, chaque fois qu'on me demande de me prononcer, je ne peux rien faire d'autre que récrire le même texte. Personne ne s'en aperçoit, avant tout parce qu'il n'y a rien de plus inédit que ce qui a été déjà publié ; et ensuite parce que l'opinion publique (ou les journalistes tout au moins) a toujours cette idée fixe que le livre va disparaître (ou alors ce sont ces journalistes qui pensent que leurs lecteurs ont cette idée fixe) et chacun formule inlassablement la même interrogation.

Il y a en réalité très peu de chose à dire sur le sujet. Avec Internet, nous sommes revenus à l'ère alphabétique. Si jamais nous avions cru être entrés dans la civilisation des images, voilà que l'ordinateur nous réintroduit dans la galaxie de Gutenberg et tout le monde se trouve désormais obligé de lire. Pour lire, il faut un support. Ce support ne peut pas être le seul ordinateur. Passez deux heures sur votre ordinateur à lire un roman et vos yeux deviennent des balles de tennis. J'ai chez moi des lunettes Polaroïd qui me permettent de me protéger les yeux contre les nuisances d'une lecture continue de l'écran. D'ailleurs l'ordinateur dépend de la présence de l'électricité et ne peut pas être lu dans une baignoire, même pas couché sur le côté dans un lit. Le livre se présente donc comme un outil plus flexible.

De deux choses l'une : ou bien le livre demeurera le support de la lecture, ou bien il existera quelque chose qui ressemblera à ce que le livre n'a jamais cessé d'être, même avant l'invention de l'imprimerie. Les variations autour de l'objet livre n'en ont pas modifié la fonction, ni la syntaxe, depuis plus de cinq cents ans. Le livre est comme la cuiller, le marteau, la roue ou le ciseau. Une fois que vous les avez inventés, vous ne pouvez pas faire mieux. Vous ne pouvez pas faire une cuillère qui soit mieux qu'une cuillère. Des designers tentent d'améliorer par exemple le tire-bouchon, avec des succès très mitigés, et la plupart d'ailleurs ne fonctionnent pas. Philippe Starck a essayé d'innover du côté des presse-citrons, mais le sien (pour sauvegarder une certaine pureté esthétique) laisse passer les pépins. Le livre a fait ses preuves et on ne voit pas comment, pour le même usage, nous pourrions faire mieux que le livre. Peut-être évoluera-t-il dans ses composantes, peut-être ses pages ne seront-elles plus en papier. Mais il demeurera ce qu'il est.

J.-C.C. : Il semble que les dernières versions de l'e-book le placent désormais en concurrence directe avec le livre imprimé. Le modèle « Reader » contient déjà 160 titres.

19

U.E. : Il est évident qu'un magistrat emportera plus facilement chez lui les 25 000 pièces d'un procès en cours si elles sont mémorisées dans un e-book. Dans de nombreux domaines, le livre électronique apportera un confort d'utilisation extraordinaire. Je continue simplement à me demander si, même avec la technologie la mieux adaptée aux exigences de la lecture, il sera très opportun de lire *Guerre et Paix* sur un e-book. Nous verrons bien. De toute façon nous ne pourrons plus lire les Tolstoï et tous les livres imprimés sur de la pâte à papier, tout simplement parce qu'ils ont déjà commencé à se décomposer dans nos bibliothèques. Les Gallimard et les Vrin des années cinquante ont déjà pour la plupart disparu. *La Philosophie au Moyen Age* de Gilson, qui m'avait tant servi à l'époque où je préparais ma thèse, je ne peux même pas le prendre en main aujourd'hui. Les pages se brisent, littéralement. Je pourrais en acheter une nouvelle édition, sans doute, mais c'est à la vieille que je suis attaché, avec toutes mes annotations de couleurs différentes qui font l'histoire de mes différentes consultations.

Jean-Philippe de Tonnac : *Avec la mise au point de nouveaux supports de mieux en mieux adaptés aux exigences et au confort d'une lecture tout terrain, qu'elle soit celle des encyclopédies ou des romans en ligne, pourquoi ne pas imaginer malgré tout une lente*

*désaffection pour l'objet livre sous sa forme tradi-
tionnelle?*

U.E. : Tout peut advenir. Les livres peuvent
n'intéresser demain qu'une poignée d'incondition-
nels qui iront satisfaire leur curiosité passéiste dans
des musées, dans des bibliothèques.

J.-C.C. : S'il en reste.

U.E. : Mais nous pouvons tout aussi bien imaginer que la formidable invention qu'est Internet
disparaisse à son tour, dans le futur. Exactement
comme les dirigeables ont disparu de nos ciels.
Lorsque le Hindenburg prend feu à New York, un
peu avant la guerre, l'avenir des dirigeables est
mort. Même chose pour le Concorde : l'accident de
Gonesse en 2000 lui a été fatal. L'histoire est tout
de même extraordinaire. On invente un avion qui,
au lieu de mettre huit heures pour traverser
l'Atlantique, n'en demande que trois. Qui aurait pu
contester un tel progrès? Mais on y renonce, après
cette catastrophe de Gonesse, en estimant que le
Concorde coûte trop cher. Est-ce une raison sé-
rieuse? La bombe atomique aussi coûte très cher!

J.-P. de T. : *Je vous cite cette remarque de Her-
mann Hesse à propos d'une probable « relégitimation »
du livre que devaient permettre, selon lui, les progrès
techniques. Il doit s'exprimer dans les années cin-*

quante : « Plus, avec le temps, les besoins de distraction et d'éducation populaire pourront être satisfaits par des inventions nouvelles, et plus le livre regagnera de sa dignité et de son autorité. Nous n'avons pas encore tout à fait atteint le point où les jeunes inventions concurrentes comme la radio, le cinéma, etc., ôtent au livre imprimé cette part de ses fonctions qu'il peut justement perdre sans dommage. »

J.-C.C. : En ce sens il ne s'est pas trompé. Le cinéma et la radio, la télévision même n'ont rien enlevé au livre, rien qu'il n'ait perdu « sans dommage ».

U.E. : A un certain moment, les hommes inventent l'écriture. Nous pouvons considérer que l'écriture est le prolongement de la main et dans ce sens elle est presque biologique. Elle est la technologie de communication immédiatement liée au corps. Lorsque vous avez inventé ça, vous ne pouvez plus y renoncer. Encore une fois, c'est comme avoir inventé la roue. Nos roues d'aujourd'hui sont celles de la préhistoire. Tandis que nos inventions modernes, cinéma, radio, Internet, ne sont pas biologiques.

J.-C.C. : Vous avez raison de le souligner : nous n'avons jamais eu autant besoin de lire et d'écrire que de nos jours. Nous ne pouvons pas nous servir d'un ordinateur si nous ne savons pas écrire et lire.

Et même de façon plus complexe qu'autrefois, car nous avons intégré de nouveaux signes, de nouvelles clés. Notre alphabet s'est élargi. Il est de plus en plus difficile d'apprendre à lire. Nous connaîtrions un retour à l'oralité si nos ordinateurs pouvaient transcrire directement ce que nous disons. Mais cela pose une autre question : peut-on bien s'exprimer si on ne sait ni lire ni écrire ?

U.E. : Homère répondrait sans nul doute : oui.

J.-C.C. : Mais Homère appartient à une tradition orale. Ses connaissances, il les avait acquises par le véhicule de cette tradition à une époque où rien, en Grèce, n'était encore écrit. Peut-on imaginer aujourd'hui un écrivain qui dicterait son roman sans la médiation de l'écrit et qui ne connaîtrait rien de toute la littérature qui l'a précédé ? Peut-être son œuvre aurait-elle le charme de la naïveté, de la découverte, de l'inouï. Il me semble tout de même qu'il lui manquerait ce que nous appelons, faute de mieux, la culture. Rimbaud était un jeune homme prodigieusement doué, auteur de vers inimitables. Mais il n'était pas ce que nous appelons un autodidacte. A seize ans, sa culture était déjà classique, solide. Il savait composer des vers latins.

Rien de plus éphémère
que les supports durables

J.-P. de T. : *Nous nous interrogeons sur la pérennité des livres à une époque où la culture semble faire le choix d'autres outils, peut-être plus performants. Mais que penser de ces supports censés stocker durablement l'information et nos mémoires personnelles, je pense aux disquettes, aux cassettes, aux CD-ROM, et auxquels nous avons déjà tourné le dos ?*

J.-C.C. : En 1985, le ministre de la Culture, Jack Lang, m'a demandé de créer et de prendre la responsabilité d'une nouvelle école de cinéma et de télévision, la Fémis. J'ai réuni à cette occasion quelques très bons techniciens sous la direction de Jack Gajos et présidé aux destinées de cette école pendant dix ans, de 1986 à 1996. Pendant ces dix années, j'ai dû naturellement me tenir au courant de toutes les nouveautés dans les domaines qui étaient les nôtres.

Un des vrais problèmes que nous avions à résoudre était, tout simplement, de montrer des films

25

aux étudiants. Lorsque nous regardons un film pour l'étudier, pour l'analyser, il faut pouvoir interrompre la projection, revenir en arrière, s'arrêter, avancer quelquefois image par image. Exploration impossible avec une copie classique. Nous possédions alors les cassettes vidéo, mais qui s'usaient très vite. Après trois ou quatre ans d'utilisation, elles ne nous étaient plus d'aucun secours. C'est à cette même époque que s'est créée la Vidéothèque de Paris, qui se proposait de conserver tous les documents photographiques et filmés sur la capitale. Nous avions alors le choix, pour archiver des images, entre la cassette électronique et le CD, ce que nous appelions alors des « supports durables ». La Vidéothèque de Paris a fait le choix de la cassette électronique et a investi dans ce sens. Ailleurs, on expérimentait aussi des disques souples, dont les promoteurs disaient mille merveilles. Deux ou trois ans plus tard est apparu en Californie le CD-ROM (Compact Disc Read-Only Memory). Nous tenions enfin la solution. Un peu partout se succédaient des démonstrations mirifiques. Je me rappelle le premier CD-ROM que nous avons vu : il concernait l'Egypte. Nous étions épatés, conquis. Tout le monde s'inclinait devant cette innovation qui paraissait régler toutes les difficultés auxquelles nous, professionnels de l'image et de l'archivage, nous nous heurtions depuis longtemps. Or les usines américaines qui fabriquaient ces merveilles ont fermé, il y a déjà sept ans.

Cependant, nos téléphones portables et autres iPods sont capables d'exploits sans cesse élargis. Les Japonais, nous dit-on, y écrivent et proposent leurs romans. Internet, devenu mobile, traverse l'espace. On nous promet aussi le triomphe individuel de la VOD (Video On Demand), des écrans pliables et plusieurs autres prodiges. Qui sait?

J'ai l'air de vous parler d'une très longue période, qui semble avoir duré des siècles. Mais il s'agit d'une vingtaine d'années tout au plus. L'oubli va vite. De plus en plus vite, peut-être. Ce sont là des considérations banales, sans aucun doute, mais le banal est un bagage nécessaire. En tout cas au début d'un voyage.

U.E. : Il y a quelques années seulement, la *Patrologie latine* de Migne (221 volumes!) a été proposée en CD-ROM au prix, si je me souviens bien, de 50 000 dollars. A ce prix, la *Patrologie* n'était accessible qu'aux grandes bibliothèques, et non pas aux pauvres chercheurs (bien que, parmi les médiévistes, on se soit mis à pirater joyeusement les disquettes). Désormais, avec un simple abonnement, vous pouvez accéder à la *Patrologie* en ligne. Même chose pour l'*Encyclopédie* de Diderot, proposée naguère par le Robert en CD-ROM. Aujourd'hui je la trouve en ligne pour rien.

J.-C.C. : Quand le DVD est apparu, nous tenions enfin, pensions-nous, la solution idéale qui réglerait à jamais nos problèmes de stockage et de vision partagée. Je ne m'étais jamais constitué jusque-là de filmothèque personnelle. Avec le DVD, je me suis dit que je disposais, finalement, de mon « support durable ». Mais pas du tout. On nous annonce maintenant des disques d'un format très réduit, nécessitant l'achat d'appareils de lecture nouveaux, et qui pourront contenir, comme pour l'e-book, un nombre considérable de films. Nos bons vieux DVD passeront donc eux aussi à la trappe, à moins que nous ne conservions les anciens appareils qui nous permettaient de les visionner.

C'est d'ailleurs une des tendances de notre temps : collectionner ce que la technologie s'ingénie à démoder. Un de mes amis, cinéaste belge, conserve dans sa cave dix-huit ordinateurs, simplement pour pouvoir regarder d'anciens travaux. Tout cela pour dire qu'il n'y a rien de plus éphémère que les supports durables. Ces considérations habituelles, qui sont devenues comme une rengaine, sur la fragilité des supports contemporains, peuvent amener deux amateurs d'incunables, ce que nous sommes vous et moi, à doucement sourire, n'est-ce pas ? Je vous ai descendu de ma bibliothèque ce petit livre imprimé en latin à la fin du XVe siècle, à Paris. Regardez. Si nous ouvrons cet incunable, nous pouvons lire sur la dernière page, imprimé en français : « Ces présentes heures à l'usage de Rome furent achevées le vingt-septième jour de septembre l'an mille quatre cent quatre-vingt-dix-huit pour Jean Poitevin, libraire, demeurant à Paris en la rue Neuve-Notre-Dame. » « Usage » est écrit « usaige », le système de datation pour indiquer l'année a été abandonné, mais nous pouvons encore le déchiffrer assez facilement. Nous pouvons donc encore lire un texte imprimé il y a cinq siècles. Mais nous ne pouvons plus lire, nous ne pouvons plus voir, une cassette électronique ou un CD-ROM vieux de quelques années à peine. A moins de conserver nos vieux ordinateurs dans nos caves.

J.-P. de T. : *Il faut insister sur la rapidité croissante à laquelle se démodent ces nouveaux supports, nous condamnant à réaménager toutes nos logistiques de travail et de stockage, nos modes de pensée...*

U.E. : Accélération qui contribue à l'effacement de la mémoire. C'est sans doute un des problèmes les plus épineux de notre civilisation. D'un côté, nous inventons plusieurs instruments pour conserver la mémoire, toutes formes d'enregistrements, de possibilités de transporter le savoir – c'est sans doute un avantage considérable en comparaison de ces époques où il fallait recourir à des mnémotechniques, à des techniques pour se souvenir, tout simplement parce qu'on ne pouvait pas avoir à sa disposition tout ce qu'il convenait de savoir. Les hommes ne pouvaient alors se fier qu'à leur mémoire. D'un autre coté, au-delà de la nature périssable de ces instruments, qui fait en effet problème, nous devons reconnaître aussi que nous ne sommes pas équitables face aux objets culturels que nous produisons. Pour ne citer qu'un exemple de plus, les originaux des grandes créations de la bande dessinée : ils sont horriblement coûteux parce que très rares (maintenant, une page d'Alex Raymond coûte une fortune). Mais pourquoi sont-ils si rares? Tout simplement parce que les journaux qui les publiaient, une fois les planches reproduites, les jetaient à la poubelle.

J.-P. de T. : *Quelles étaient ces mnémotechniques en usage avant l'invention de ces mémoires artificielles que sont nos livres ou nos disques durs?*

J.-C.C. : Alexandre est à la veille de prendre une fois encore une décision aux conséquences incalculables. On lui a raconté qu'il existe une femme qui peut prédire l'avenir avec certitude. Il la fait venir afin qu'elle lui enseigne son art. Elle lui dit qu'il faut allumer un grand feu et lire l'avenir dans la fumée qui s'en dégage, comme dans un livre. Elle met toutefois le conquérant en garde. Pendant qu'il scrutera la fumée, il ne devra en aucun cas penser à l'œil gauche d'un crocodile. A l'œil droit à la rigueur, mais jamais à l'œil gauche.

Alors Alexandre renonça à connaître l'avenir. Pourquoi? Parce que, dès qu'on vous a mis en demeure d'éviter de penser à quelque chose, vous ne pensez plus qu'à ça. L'interdiction fait obligation. Impossible, même, de ne pas y penser, à cet œil gauche de crocodile. L'œil de la bête s'est emparé de votre mémoire, de votre esprit.

Parfois, se souvenir, comme pour Alexandre, et ne pas être capable d'oublier, est un problème, et même un drame. Il y a des gens doués de cette faculté de retenir tout, à partir précisément de recettes mnémotechniques très simples, et qu'on appelle des mnémonistes. Le neurologue russe Alexandre Luria les a étudiés. Peter Brook s'est inspiré d'un livre de Luria pour son spectacle *Je suis un phénomène*. Si vous racontez quelque chose à un mnémoniste, il ne peut pas l'oublier. Il est comme une machine parfaite mais folle, il enregistre tout, sans discernement. C'est un défaut, en l'occurrence, et non pas une qualité.

U.E. : Tous les procédés mnémotechniques utilisent l'image d'une ville ou d'un palais dont chaque partie ou lieu est associé à l'objet qu'il s'agit de mémoriser. La légende rapportée par Cicéron dans le *De oratore* raconte que Simonide assistait à un dîner en compagnie de hauts dignitaires de la Grèce. A un moment de la soirée, il quitte l'assemblée, juste le temps que les convives disparaissent sous l'effondrement du toit de la maison, qui les tue tous. Simonide est appelé pour identifier les corps. Il y parvient en essayant de se souvenir de la place que chacun occupait autour de la table.

L'art mnémotechnique est donc celui d'associer

des représentations spatiales à des objets ou à des concepts de façon à les rendre solidaires les uns des autres. C'est parce qu'il a associé l'œil gauche du crocodile à la fumée qu'il doit scruter qu'Alexandre, dans votre exemple, ne peut plus agir librement. Les arts de la mémoire se retrouvent encore au Moyen Age. Mais à partir de l'invention de l'imprimerie, on devrait penser que l'usage de ces moyens mnémotechniques se soit peu à peu perdu. C'est pourtant l'époque où se publient les plus beaux livres de mnémotechnique !

J.-C.C. : Vous parliez des originaux des grandes créations de la bande dessinée jetés à la poubelle après publication. Ce fut la même chose avec le cinéma. Que de films ont ainsi disparu ! C'est à partir des années 1920 ou 1930 que le cinéma devient en Europe le « septième art ». Dès lors, cela vaut tout de même la peine de conserver des œuvres qui appartiennent désormais à l'histoire de l'art. Raison pour laquelle les premières cinémathèques se créent, en Russie d'abord, puis en France. Mais du point de vue américain, le cinéma n'est pas un art, il est aujourd'hui encore un produit renouvelable. Il faut constamment refaire un *Zorro*, un *Nosferatu*, un *Tarzan*, et donc bazarder les anciens modèles, les vieux stocks. L'ancien, surtout s'il est de qualité, pourrait faire concurrence au nouveau produit. La cinémathèque américaine a été créée, tenez-vous bien, dans les années soixante-dix ! Ce fut une longue et dure bataille pour trouver des subventions, pour intéresser les Américains à l'histoire de leur propre cinéma. De même, la première école de cinéma au monde a été russe. Nous la devons à Eisenstein, pour qui il était indispensable d'établir une école de cinéma du même niveau que les meilleures écoles de peinture ou d'architecture.

U.E. : En Italie, au début du XXe siècle, un grand poète comme Gabriele D'Annunzio écrit déjà pour le cinéma. Il participe à l'écriture du scénario de *Cabiria* avec Giovanni Pastrone. En Amérique, il n'aurait pas été pris au sérieux.

J.-C.C. : Ne parlons même pas de la télévision. Conserver les archives de la télévision paraissait au début une absurdité. La création de l'INA, chargé de conserver les archives audiovisuelles, a représenté un changement radical de perspective.

U.E. : J'ai travaillé à la télévision en 1954 et je me souviens que tout était en direct et qu'on n'utilisait pas alors d'enregistrement magnétique. Il y avait un machin qu'ils appelaient *Transcriber,* avant de découvrir que ce mot n'existait pas dans les télés anglo-saxonnes. Il s'agissait tout simplement de filmer l'écran avec une caméra. Mais comme il s'agissait un dispositif fastidieux et coûteux, on devait opérer des choix. Beaucoup de choses ont été ainsi perdues.

J.-C.C. : Je peux vous donner un bel exemple dans ce domaine. C'est presque un incunable de la télévision. Dans les années 1951 ou 1952, Peter Brook a tourné pour la télévision américaine un *King Lear* avec Orson Welles dans le rôle principal. Mais ces émissions étaient diffusées sans aucun support et rien ne pouvait être conservé. Il se trouve que le *King Lear* de Brook a été filmé. En d'autres termes, là aussi, quelqu'un a filmé l'écran de télévision au moment où le film était programmé. C'est maintenant une pièce maîtresse du musée de la Télévision à New York. Par bien des aspects, cela me rappelle l'histoire du livre.

U.E. : Jusqu'à un certain point. L'idée de collectionner les livres est très ancienne. Il n'est donc pas arrivé aux livres ce qui est arrivé aux films. Le culte de la page écrite, et plus tard du livre, est aussi ancien que l'écriture. Les Romains déjà voulaient posséder des rouleaux et les collectionner. Si nous avons perdu des livres, c'est pour d'autres raisons. On en a fait disparaître pour des raisons de censure religieuse, ou bien parce que les bibliothèques avaient tendance à brûler à la première occasion, de la même façon que les cathédrales, parce que les unes et les autres étaient en grande partie construites en bois. Une cathédrale ou une bibliothèque qui brûle, au Moyen Age, c'est à peu près comme un film sur la guerre dans le Pacifique qui montre un avion qui tombe. C'était normal. Le fait que la bibliothèque dans *Le Nom de la rose* finisse par brûler n'est en aucune manière un événement extraordinaire à cette période.

Mais les raisons pour lesquelles les livres brûlaient étaient en même temps celles qui vous invitaient à les mettre en lieu sûr et donc à les collectionner. C'est ce qui fonde le monachisme. C'est probablement la venue des barbares à Rome à plusieurs reprises, et leur habitude d'incendier la ville avant de repartir, qui a fait songer à trouver un lieu sûr pour y placer les livres. Et quoi de plus sûr qu'un monastère ? On a donc commencé à placer certains livres hors d'atteinte des menaces qui pesaient sur la mémoire. Mais en même temps, naturellement, en faisant le choix de sauver certains livres et pas d'autres, on a commencé à filtrer.

J.-C.C. : Alors que le culte des films rares commence seulement à exister. Vous trouverez même des collectionneurs de scénarios. A la fin d'un tournage, le scénario finissait autrefois, la plupart du temps, dans la poubelle, comme les planches de bandes dessinées dont vous parliez. Cependant, dès les années quarante, certains ont commencé à se demander si, le film achevé, le scénario ne conservait pas malgré tout une certaine valeur. Au moins marchande.

U.E. : Maintenant nous connaissons le culte des scénarios célèbres, comme celui de *Casablanca*.

J.-C.C. : Surtout, évidemment, lorsque le scénario porte des indications manuscrites du metteur en scène. J'ai vu des scénarios de Fritz Lang avec ses propres annotations devenir, par une dévotion proche du fétichisme, objets de bibliophilie, et d'autres que les amateurs faisaient précieusement relier. Mais je reviens un instant à la question que j'évoquais plus tôt. Comment, aujourd'hui, se constituer une filmothèque, quel support choisir? Impossible de conserver chez soi des copies de films sur support argentique. Il faudrait une cabine de projection, une salle spéciale, des locaux de stockage. Les cassettes magnétiques, nous le savons, perdent leurs couleurs, leur définition et s'effacent vite. Les CD-ROM sont terminés. Les DVD ne feront pas long feu. Et d'ailleurs, comme nous l'avons dit, il n'est même pas certain que nous disposions dans l'avenir de l'énergie suffisante pour faire fonctionner toutes nos machines. Pensons à la grande panne d'électricité à New York, en juillet 2006. Imaginons qu'elle s'étende et se prolonge. Sans électricité, tout est irrémédiablement perdu. En revanche, nous pourrons encore lire des livres, dans la journée, ou le soir à la bougie, quand tout l'héritage audiovisuel aura disparu. Le XXe siècle est le premier siècle à laisser des images en mouvement de lui-même, de sa propre histoire, et des sons enregistrés – mais sur des supports encore mal assurés. Etrange : nous n'avons aucun son du passé. Nous pouvons imaginer sans doute que le chant des oiseaux était le même, le bruit des ruisseaux...

U.E. : Mais pas les voix humaines. Nous découvrons dans les musées que les lits de nos ancêtres étaient de petites dimensions : donc les gens étaient plus petits. Ce qui implique, nécessairement, un autre timbre de voix. Lorsque j'écoute un vieux disque de Caruso, je me demande toujours si la différence entre sa voix et celle des grands ténors contemporains est due seulement à la qualité technique de l'enregistrement et du support, ou bien au fait que les voix humaines du début du XXe étaient différentes des nôtres. Entre la voix de Caruso et celle de Pavarotti, il y a des décennies de protéines et de développement de la médecine. Les immigrés italiens aux Etats-Unis au début du XXe siècle mesuraient, disons, un mètre soixante, tandis que leurs petits-fils atteignaient déjà un mètre quatre-vingts.

J.-C.C. : Lorsque je m'occupais de la Fémis, j'ai demandé une fois aux étudiants en son, comme exercice, de reconstituer certains bruits, certaines ambiances sonores du passé. A partir d'une satire de Boileau, « Les Embarras de Paris », je proposais aux étudiants d'en établir la bande sonore. En précisant

37

que les pavés étaient en bois, les roues des carrosses en fer, les maisons plus basses, etc.

Le poème commence ainsi : « Qui frappe l'air bon Dieu de ces lugubres cris ? » Qu'est-ce qu'un cri « lugubre » au XVIIe siècle, à Paris, la nuit ? Cette expérience, plonger dans le passé par les sons, est assez fascinante, bien que difficile. Comment vérifier ?

En tout cas, si la mémoire visuelle et sonore du XXe siècle s'efface lors d'une gigantesque panne d'électricité, ou de toute autre manière, il nous restera encore et toujours le livre. Nous trouverons toujours le moyen d'apprendre à lire à un enfant. Cette idée de la culture en perdition, de la mémoire en péril, est ancienne, nous le savons. Sans doute aussi ancienne que la chose écrite elle-même. Je vous en donne une autre illustration, empruntée à l'histoire de l'Iran. Nous savons qu'un des foyers de la culture persane a été l'Afghanistan d'aujourd'hui. Or, lorsque la menace mongole se précise à partir du XIe et du XIIe siècle – et les Mongols détruisaient tout sur leur passage –, les intellectuels et les artistes de Balkh, par exemple, parmi lesquels le père du futur Rumi, s'en vont en emportant leurs manuscrits les plus précieux. Ils partent vers l'ouest, vers la Turquie. Rumi vivra jusqu'à sa mort, comme beaucoup d'exilés iraniens, à Konya, en Anatolie. Une anecdote montre un de ces fugitifs, réduit sur la route de l'exil à la plus extrême misère et se servant des livres précieux qu'il a emportés comme oreiller. Livres qui doivent valoir aujourd'hui une petite fortune. J'ai vu à Téhéran, chez un amateur, une collection de manuscrits anciens illustrés. Une merveille. Donc la même question s'est posée à toutes les grandes civilisations : que fait-on d'une culture menacée ? Comment la sauver ? Et que sauver ?

U.E. : Et lorsque la sauvegarde a lieu, lorsqu'on trouve le temps de mettre les emblèmes de la culture en lieu sûr, il est plus facile de sauver le manuscrit, le codex, l'incunable, le livre, que la sculpture ou à la peinture.

J.-C.C. : Il reste tout de même cette énigme irrésolue : tous les *volumina*, les rouleaux de l'Antiquité romaine, ont disparu. Les patriciens romains entretenaient pourtant des bibliothèques riches de milliers d'ouvrages. Nous pouvons en consulter quelques-uns à la Bibliothèque Vaticane mais la plupart d'entre eux ne sont pas parvenus jusqu'à nous. Le fragment de manuscrit le plus ancien d'un Evangile que nous ayons conservé date déjà du IVe siècle. A la Vaticane, je me souviens d'avoir admiré un manuscrit des *Géorgiques* de Virgile daté du IVe ou du Ve siècle. Splendide. La moitié supérieure de chaque page était une illustration. Mais je n'ai jamais vu un *volumen* complet de ma vie. Les écrits les plus anciens, les manuscrits de la mer Morte en l'occurrence, je les ai vus à Jérusalem, dans un musée. Ils avaient été conservés grâce à des conditions climatiques tout à fait particulières. De même les papyrus égyptiens qui sont, je crois, parmi les plus anciens de tous.

J.-P. de T. : *Vous citez comme support de ces écrits le papyrus, peut-être le papier. Sans doute devons-nous considérer aussi ici des supports plus anciens qui appartiennent d'une manière ou d'une autre à l'histoire du livre...*

J.-C.C. : Bien entendu. Les supports de l'écrit sont multiples, stèles, tablettes, tissus. Et il y a écrit et écrit. Mais plus que le support, nous intéresse le message que ces fragments nous ont transmis, échappé d'un passé à peine concevable. Je voudrais – car je l'ai reçu ce matin – vous montrer une image que j'ai découverte dans un catalogue de vente aux enchères. Il s'agit de l'empreinte d'un pied du Bouddha. Représentons-nous bien les choses. Imaginons que le Bouddha marche. Il s'avance dans sa légende. Un des signes physiques qui le caractérisent est qu'il porte des inscriptions sur la plante des pieds. Inscriptions essentielles, cela va sans dire. Lorsqu'il marche, il imprime donc cette marque sur le sol, comme si chacun de ses pas était une gravure.

U.E. : Ce sont les empreintes au Théâtre chinois sur Hollywood Boulevard, avant la lettre !

J.-C.C. : Si vous voulez. Il enseigne en marchant. Il suffit de lire ses traces. Et cette empreinte, bien évidemment, n'est pas n'importe quelle empreinte. Elle résume à elle seule tout le bouddhisme, autrement dit les cent huit préceptes qui représentent tous les mondes animés et inanimés, et que domine l'intelligence du Bouddha.

Mais nous y voyons également toutes sortes de stupas, des petits temples, des roues de la Loi, des animaux, ainsi que des arbres, de l'eau, de la lumière, des nagas, des offrandes, tout cela contenu dans une seule empreinte de la taille de la plante du pied du Bouddha. C'est de l'imprimerie avant l'imprimerie. Une impression emblématique.

J.-P. de T. : *Autant d'empreintes, autant de messages que les disciples vont s'employer à déchiffrer. Comment ne pas lier la question des origines de l'histoire de l'écrit à celle de la constitution de nos textes sacrés ? C'est pourtant à partir de ces documents constitués selon des logiques qui nous échappent que vont s'ériger les grands mouvements de la foi. Mais sur quelles bases exactement ? Quelle valeur accorder à ces traces de pas ou à nos « quatre » Evangiles, par exemple. Pourquoi quatre ? Pourquoi ceux-là ?*

J.-C.C. : Pourquoi quatre, en effet, alors qu'il en existait un assez grand nombre ? Et même : bien après que ces quatre Evangiles eurent été choisis, par des hommes d'Eglise réunis en concile, on a continué à en trouver d'autres. C'est au XXe siècle seulement qu'a été découvert l'Evangile dit selon Thomas, qui est plus ancien que ceux de Marc, Luc, Matthieu et Jean, et qui ne contient que des paroles de Jésus.

La plupart des spécialistes s'accordent aujourd'hui à reconnaître qu'il a même existé un Evangile originel appelé le *Q Gospel* – c'est-à-dire l'Evangile source, d'après le mot allemand « Quelle » – qu'il est possible de reconstituer à partir des Evangiles selon Luc, Matthieu et Jean qui font tous les trois référence aux mêmes sources. Cet Evangile originel a totalement disparu. Cependant, pressentant son existence, les spécialistes ont travaillé à le reconstituer.

Qu'est-ce donc qu'un texte sacré ? Un brouillard, un puzzle ? Dans le cas du bouddhisme, les choses sont quelque peu différentes. Le Bouddha n'a, lui non plus, rien écrit. Mais, à la différence de Jésus, il a parlé pendant beaucoup plus longtemps. Il est admis que Jésus a eu deux ou trois ans d'activité de prédication, au plus. Le Bouddha, même sans écrire, a enseigné au moins durant trente-cinq ans. Un disciple très proche, Ananda, au lendemain de sa mort, a commencé à retranscrire ses paroles, assisté par le groupe qui l'avait suivi. Le *Sermon de Bénarès,* premières paroles du Bouddha, texte qui contient les fameuses « Quatre Nobles Vérités », connues par cœur et soigneusement retranscrites, et qui constitue l'enseignement de base de toutes les écoles bouddhiques, représente un feuillet, pas davantage. Le bouddhisme, au départ, c'est un feuillet. Et ce simple feuillet, par la suite, à partir des retranscriptions d'Ananda, a engendré des millions de livres.

J.-P. de T. : *Un feuillet conservé. Peut-être parce que tous les autres ont disparu. Comment le savoir ? C'est la foi qui prête à ce texte une valeur particulière. Mais peut-être l'enseignement véritable du Bouddha était-il consigné dans des traces de pas ou des documents aujourd'hui effacés ou disparus ?*

J.-C.C. : Peut-être serait-il intéressant en effet de nous placer dans une situation dramatique classique : le monde est menacé et nous devons sauver certains objets de culture pour les placer en un lieu sûr. La civilisation est menacée, par exemple, par une gigantesque catastrophe climatique. Il faut faire vite. Nous ne pouvons pas tout protéger, tout emporter. Que choisirions-nous ? Quel support ?

U.E. : Nous avons vu que les supports modernes deviennent rapidement obsolètes. Pourquoi courir le risque de nous encombrer d'objets qui risqueraient de demeurer muets, illisibles ? Nous avons fait la preuve scientifique de la supériorité des livres sur tout autre objet que nos industries de la culture ont mis sur le marché ces dernières années. Donc, si je dois sauver quelque chose de facilement transportable et qui a fait la preuve de sa capacité à résister aux outrages du temps, je choisis le livre.

J.-C.C. : Nous comparons nos techniques modernes, plus ou moins adaptées à nos vies de gens pressés, à ce qu'ont été le livre et ses modes de fabrication, de circulation. Je vous donne un exemple de la manière dont le livre peut aussi suivre le mouvement de l'Histoire au plus près, se plier à son rythme. Pour écrire *Les Nuits de Paris,* Restif de La Bretonne marche dans la capitale et décrit simplement ce qu'il voit. En a-t-il vraiment été le témoin ? Les commentateurs en discutent. Restif était connu pour être un homme qui fantasmait, qui imaginait volontiers le monde qu'il présentait comme réel. Par exemple, chaque fois qu'il rapporte une coucherie avec une pute, il découvre qu'elle est une de ses filles.

Les deux derniers volumes des *Nuits de Paris* sont écrits sous la Révolution. Restif non seulement rédige le récit de sa nuit, mais il le compose et l'imprime au matin, sur une presse, dans un soussol. Et comme il ne parvient pas à se procurer du papier durant cette époque troublée, il ramasse dans les rues, au cours de ses promenades, des affiches, des tracts qu'il fait bouillir, obtenant ainsi une pâte de très mauvaise qualité. Le papier de ces deux derniers volumes n'est pas du tout celui des premiers. Autre caractéristique de son travail, il imprime en abrégé, parce qu'il manque de temps. Il

met « Rev. », par exemple, pour « Révolution ».
C'est étonnant. Le livre lui-même dit la hâte d'un
homme qui veut à toute force couvrir l'événement,
aller aussi vite que l'Histoire. Et si les faits rapportés
ne sont pas vrais, alors Restif est un prodigieux
menteur. Par exemple il a vu un personnage qu'il
appelle « le toucheur ». Cet homme se promenait
discrètement dans la foule autour de l'échafaud et,
chaque fois qu'une tête tombait, il mettait la main
au cul d'une femme.

C'est Restif qui a parlé des travestis, qu'on appelait alors des « efféminés », sous la Révolution. Je
me rappelle aussi une scène sur laquelle nous avons
beaucoup rêvé, avec Milos Forman. Un condamné
est amené à l'échafaud avec d'autres, dans une
charrette. Il a son petit chien avec lui, qui l'a suivi.
Avant de monter vers le supplice, il se tourne vers la
foule pour savoir si quelqu'un veut s'en charger.
L'animal est très affectueux, précise-t-il. Il le tient
dans ses bras, il l'offre. Et la foule lui répond par
des injures. Les gardes s'impatientent et arrachent le
chien des mains du condamné, qui est aussitôt
guillotiné. Le chien, en gémissant, va lécher le sang
de son maître, dans la corbeille. Exaspérés, les
gardes finissent par tuer le chien à coups de baïon-
nette. Alors la foule se déchaîne contre les gardes.
« Assassins ! **Vous n'avez** pas honte ? Qu'est-ce qu'il
vous avait **fait, ce** malheureux chien ? »

Je me suis **un** peu égaré, mais le défi de Restif –
un livre-reportage, un livre « en direct » – me paraît

45

unique. Revenons à la question : quels livres tenterions-nous de sauver en cas de malheur ? Le feu se déclare dans votre maison, savez-vous quels ouvrages vous chercheriez d'abord à protéger ?

U.E. : Après que j'ai parlé si bien des livres, laissez-moi vous dire que j'arracherais mon disque dur externe de 250 gigas, contenant tous mes écrits des trente dernières années. Après quoi, si j'en avais encore la possibilité, je chercherais à sauver bien entendu un de mes livres anciens, pas nécessairement le plus coûteux, mais celui que j'aime davantage. Seulement voilà : comment choisir ? Je suis attaché à un très grand nombre d'entre eux. J'espère n'avoir pas le temps d'y réfléchir trop longtemps. Disons que j'irais peut-être prendre le *Peregrinatio in Terram Sanctam*, de Bernhard von Breydenbach, Speier, Drach, 1490, sublime pour ses gravures sur plusieurs feuillets repliés.

J.-C.C. : Pour ma part je prendrais sans doute un manuscrit d'Alfred Jarry, un d'André Breton, un livre de Lewis Carroll qui contient une lettre de lui. Une triste histoire est arrivée à Octavio Paz. Sa bibliothèque a brûlé. Une tragédie ! Et vous pouvez imaginer ce qu'était la bibliothèque d'Octavio Paz ! Riche de tous les ouvrages que les surréalistes du monde entier lui avaient dédicacés. Ce fut la grande douleur de ses deux dernières années.

Si on me posait la même question à propos des

46

films, je serais plus embêté pour répondre. Pourquoi ? Tout simplement parce que, encore une fois, beaucoup de films ont disparu. Il y a même des films auxquels j'ai travaillé qui sont irrémédiablement hors d'usage. Une fois le négatif perdu, le film n'existe plus. Et même si le négatif existe quelque part, c'est souvent toute une histoire pour le retrouver, et cela coûte cher d'en tirer une copie.

Il me semble que l'univers de l'image, et du film en particulier, illustre à merveille la question de l'accélération exponentielle des techniques. Nous sommes nés vous et moi dans le siècle qui, le premier dans l'Histoire, a inventé de nouveaux langages. Si nos entretiens se déroulaient cent vingt ans plus tôt, nous ne pourrions évoquer que le théâtre et le livre. La radio, le cinéma, l'enregistrement de la voix et des sons, la télévision, les images de synthèse, la bande dessinée n'existeraient pas. Or, chaque fois qu'une nouvelle technique apparaît, elle veut faire la démonstration qu'elle dérogera aux règles et contraintes qui ont présidé à la naissance de toute autre invention dans le passé. Elle se veut fière et unique. Comme si la nouvelle technique charriait avec elle, automatiquement, une aptitude naturelle pour ses nouveaux utilisateurs à faire l'économie de tout apprentissage. Comme si elle apportait d'elle-même un nouveau talent. Comme si elle s'apprêtait à balayer tout ce qui l'a précédée, faisant du même coup des analphabètes retardataires de tous ceux qui oseraient la refuser.

J'ai été témoin de ce chantage toute ma vie. Alors que, en réalité, c'est le contraire qui se passe. Chaque nouvelle technique exige une longue initiation à un nouveau langage, d'autant plus longue que notre esprit est formaté par l'utilisation des langages qui ont précédé la naissance de ce nouveau venu. A partir des années 1903-1905 se forme un nouveau langage du cinéma qu'il faut absolument connaître. Beaucoup de romanciers s'imaginent pouvoir passer de l'écriture d'un roman à celle d'un scénario. Ils se trompent. Ils ne voient pas que ces deux objets écrits – un roman et un scénario – utilisent en réalité deux écritures différentes.

La technique n'est en aucune façon une facilité. C'est une exigence. Faire une pièce de théâtre pour la radio, rien de plus compliqué.

Les poules ont mis un siècle pour apprendre à ne pas traverser la route

J.-P. de T. : *Revenons aux changements techniques qui devraient nous amener ou non à nous détourner des livres. Sans doute les instruments de la culture sont-ils aujourd'hui plus fragiles et moins durables que ne l'étaient nos incunables, qui résistent merveilleusement au temps. Pourtant ces nouveaux outils, que nous le voulions ou non, bouleversent nos habitudes de penser et nous éloignent de celles que le livre a induites.*

U.E. : La vitesse avec laquelle la technologie se renouvelle nous oblige à un rythme insoutenable de réorganisation continuelle de nos habitudes mentales, en effet. Tous les deux ans, il faudrait changer d'ordinateur puisque c'est précisément ainsi que sont conçus ces appareils : pour devenir obsolètes après un certain délai, les réparer revenant plus cher que les remplacer. Chaque année il faudrait changer de voiture parce que le nouveau modèle présente des avantages en termes de sécurité, de gadgets électroniques, etc. Et chaque nouvelle technologie implique l'acquisition d'un nouveau système de réflexes, lequel exige de nous de nouveaux efforts, et cela dans un délai de plus en plus court. Il a fallu près d'un siècle aux poules pour apprendre à ne pas traverser la route. L'espèce a fini par s'adapter aux nouvelles conditions de circulation. Mais nous ne disposons pas de ce temps.

J.-C.C. : Pouvons-nous véritablement nous adapter à un rythme qui va s'accélérant d'une manière que rien ne justifie ? Prenons l'exemple du montage des images au cinéma. Nous sommes arrivés à un rythme si rapide, avec les vidéoclips, que nous ne pouvons pas aller plus vite. Au-delà, nous ne verrions plus rien. Je prends cet exemple pour montrer de quelle manière une technique a engendré son propre langage et comment le langage, en retour, a forcé la technique à évoluer, et ce de manière toujours plus hâtive, plus précipitée. Dans les films d'action américains, ou prétendus tels, que nous voyons aujourd'hui, aucun plan ne doit durer plus de trois secondes. C'est devenu une espèce de règle. Un homme rentre chez lui, ouvre la porte, accroche son manteau, monte au premier étage. Il ne se passe rien, aucun danger ne le menace, et la séquence est découpée en dix-huit plans. Comme si la technique portait l'action, comme si l'action était dans la caméra même, et non pas dans ce qu'elle nous montre.

Au début, le cinéma est une simple technique. On pose une caméra fixe et on filme une scène de théâtre. Des acteurs entrent, font ce qu'ils ont à faire et sortent. Puis, très vite, on se rend compte qu'en mettant une caméra dans un train en mouvement, les images défilent dans la caméra, puis sur l'écran. La caméra peut posséder, élaborer et restituer un mouvement. Elle s'est donc mise à bouger, prudemment d'abord, dans les studios, puis elle est devenue peu à peu un personnage. Elle s'est tournée vers la droite, ensuite vers la gauche. Après quoi, il a fallu coller les deux images ainsi obtenues. C'était le début d'un nouveau langage, par le montage. Buñuel, qui était né en 1900, donc avec le cinéma, me racontait que lorsqu'il allait voir un film en 1907 ou 1908 à Saragosse, il y avait un « *explicador* » muni d'un long bâton, chargé d'expliquer ce qui se passait à l'écran. Le nouveau langage n'était pas encore compréhensible. Il n'était pas assimilé. Depuis, nous nous y sommes habitués, mais les grands cinéastes, aujourd'hui encore, ne cessent de le raffiner, de le perfectionner et même – heureusement – de le pervertir.

Comme pour la littérature, nous connaissons au cinéma un « langage noble », volontiers grandiloquent et pompier, un langage ordinaire, banal, et même un argot. Nous savons aussi, comme Proust le disait des grands écrivains, que chaque grand cinéaste invente, au moins en partie, son propre langage.

U.E. : Dans une interview, l'homme politique italien Amintore Fanfani, né au début du siècle passé et donc à une époque où le cinéma n'était encore pas vraiment populaire, expliquait qu'il n'allait pas souvent au cinéma parce que tout simplement il ne comprenait pas que le personnage qu'il voyait en contrechamp était le même qu'il avait vu de face à l'instant précédent.

J.-C.C. : Il fallait prendre en effet des précautions considérables pour ne pas égarer le spectateur, qui entrait dans un nouveau territoire d'expression. Dans tout le théâtre classique, l'action a la même durée que ce que nous voyons. Il n'y a pas de coupure à l'intérieur d'une scène de Shakespeare ou de Racine. Sur scène et dans la salle, le temps est le même. Godard a été un des premiers, je crois, dans *A bout de souffle*, à filmer une scène dans une chambre avec deux personnages et à ne retenir au montage que des moments, des fragments de cette longue scène.

U.E. : La bande dessinée avait depuis longtemps, me semble-t-il, pensé cette construction artificielle du temps de la narration. Mais pour moi qui suis un amateur et collectionneur de bandes dessinées des années trente, je suis incapable de lire les albums les plus récents, disons les plus avant-gardistes. En même temps, il ne faut pas se voiler la face. J'ai joué avec mon petit-fils qui, à sept ans, s'essayait à un de ces jeux électroniques qu'il affectionne et j'ai été sévèrement battu sur le score de 10 à 280. Pourtant je suis un ancien joueur de flipper et souvent, quand j'ai un moment, je joue sur mon ordinateur à tuer des monstres venus de l'espace, dans toutes sortes de guerres galactiques, avec même un certain succès. Mais là, j'ai dû m'incliner. Pourtant même mon petit-fils, aussi doué soit-il, ne sera peut-être plus capable à vingt ans de comprendre la nouvelle technologie de son temps. Il y a ainsi des domaines de la connaissance où il est impossible de prétendre se maintenir très longtemps au fait des nouvelles évolutions. Vous ne pouvez pas être un chercheur d'exception en physique nucléaire au-delà des efforts que vous avez dû déployer, quelques années durant, pour absorber toutes les données et vous maintenir à flot. Après, vous devenez enseignant ou vous rentrez dans les affaires. Vous êtes un génie à vingt-deux ans parce que vous avez tout compris. Mais à vingt-cinq ans, vous devez passer la main. Même chose pour le joueur de foot. Après un certain âge, vous devenez entraîneur.

J.-C.C. : J'étais allé voir Lévi-Strauss sur la suggestion d'Odile Jacob, qui souhaitait que nous fassions ensemble un livre d'entretiens. Mais il a très aimablement refusé en me disant : « Je ne veux pas redire ce que j'ai mieux dit autrefois. » Belle lucidité. Même en anthropologie, vient un temps où les jeux, vos jeux, nos jeux, sont faits. Lévi-Strauss, qui a tout de même fêté ses cent ans !

U.E. : Je suis incapable d'enseigner aujourd'hui, pour les mêmes raisons. Notre insolente longévité ne doit pas nous masquer le fait que le monde des connaissances est en révolution permanente et que nous n'avons pu en saisir pleinement quelque chose que l'espace d'un temps nécessairement limité.

J.-C.C. : Comment pouvez-vous expliquer maintenant cette faculté d'adaptation de votre petit-fils, capable à sept ans de maîtriser ces nouveaux langages qui nous demeurent, malgré tous nos efforts, étrangers ?

U.E. : Voilà un enfant, semblable aux autres enfants de son âge, qui dès l'âge de deux ans a été exposé quotidiennement à toutes sortes d'excitations que nous ne connaissions pas à ma génération. Lorsque j'ai apporté mon premier ordinateur à la maison, en 1983, mon fils avait exactement vingt ans. Je lui ai montré ma nouvelle acquisition, lui proposant de lui en expliquer le fonctionnement. Il m'a répondu qu'il n'était pas intéressé. Je me suis donc mis dans un coin pour me lancer dans l'exploration de mon nouveau jouet et j'ai rencontré, bien entendu, toutes sortes de difficultés (souvenez-vous qu'à l'époque nous écrivions en DOS, avec des langages de programmation comme Basic ou Pascal, nous ne disposions pas de Windows qui a changé notre vie). Mon fils, me voyant un jour dans l'embarras, s'est approché de mon ordinateur et m'a dit : « Tu devrais plutôt faire comme ça. » L'ordinateur a fonctionné.

J'ai résolu en partie ce mystère en imaginant que, lorsque j'étais absent, il s'en servait à loisir. Mais demeurait la question de savoir comment, alors que nous avions eu l'un et l'autre accès à la machine, il avait fait pour apprendre plus vite que moi. Il avait donc déjà le pouce informatique. Vous et moi, nous avions intégré certains gestes comme tourner la clé pour faire démarrer la voiture, tourner l'interrupteur. Là il s'agissait de cliquer, de simplement appuyer. Mon fils avait une longueur d'avance.

J.-C.C. : Tourner ou cliquer. La remarque est pleine d'enseignement. Si je pense à notre usage du livre, notre œil va de gauche à droite et de haut en bas. Avec l'écriture arabe et persane, avec l'hébreu, c'est le contraire. L'œil va de droite à gauche. Je me suis demandé si ces deux mouvements n'avaient pas eu une influence sur les mouvements de caméra au cinéma. La plupart des travellings, dans le cinéma occidental, vont de gauche à droite, alors que j'ai souvent vérifié le contraire dans le cinéma iranien, pour ne citer que celui-là. Pourquoi ne pas imaginer que des habitudes de lecture puissent conditionner nos modes de vision ? Les mouvements instinctifs de nos yeux ?

U.E. : Alors il faudrait s'assurer qu'un agriculteur occidental commence à labourer son champ en allant de gauche à droite pour revenir de droite à gauche, et un agriculteur égyptien ou iranien de droite à gauche pour revenir de gauche à droite. Parce que le tracé du labour correspond exactement à l'écriture en boustrophédon. Sauf que dans un cas on commencerait par la droite et dans l'autre par la gauche. C'est une question très importante qui à mon sens n'a pas été suffisamment étudiée. Les nazis auraient pu immédiatement identifier un paysan juif. Mais revenons à nos moutons. Nous avons parlé du changement et de son accélération. Mais nous avons dit aussi qu'il existait des nouveautés techniques qui ne changeaient pas, à savoir le livre. Nous pourrions y ajouter la bicyclette et même les lunettes. Pour ne pas parler de l'écriture alphabétique. Une fois la perfection atteinte, impossible d'aller plus loin.

J.-C.C. : Je reviens, si vous me permettez, au cinéma et à cette étonnante fidélité à lui-même. Vous dites qu'avec Internet nous revenons à l'ère alphabétique ? Je dirais que le cinéma est toujours un rectangle projeté sur une surface plane, et cela depuis plus de cent ans. Il est une lanterne magique perfectionnée. Le langage a évolué, mais la forme reste la même. Les salles s'équipent de plus en plus pour accueillir le cinéma en relief, et aussi la « vision globale ». Espérons qu'il ne s'agit pas de simples procédés de foire...

Est-ce que nous pourrons un jour, pour ne parler que de la forme, aller plus loin? Est-ce que le cinéma est jeune ou vieux? Je n'ai pas de réponse. Je sais que la littérature est vieille. C'est ce qu'on me dit. Mais peut-être n'est-elle pas si vieille que ça, au fond... Peut-être devrions-nous éviter de jouer ici les Nostradamus au risque de voir nos propos bientôt démentis.

U.E. : A propos de prévisions démenties, j'ai reçu une grande leçon dans ma vie. Je travaillais à l'époque, je parle des années soixante, pour une maison d'édition. Nous parvient alors l'ouvrage d'un sociologue américain présentant une analyse très intéressante des nouvelles générations et annonçant l'émergence d'une nouvelle génération en col blanc et cheveux *crew cut,* à la militaire, totalement désintéressée de la politique, etc. Nous décidons de le faire traduire, mais la traduction est mauvaise et je consacre plus de six mois à la réviser. Mais pendant ces six mois, nous étions passés du début de l'année 67 aux émeutes de Berkeley et à celles de mai 68, et les analyses du sociologue nous paraissaient singulièrement caduques. Alors j'ai pris le manuscrit et je l'ai jeté à la poubelle.

J.-C.C. : Nous avons parlé de supports durables en nous moquant de nous-mêmes, de nos sociétés qui ne savent pas comment stocker durablement notre mémoire. Mais je crois que nous aurions besoin tout aussi bien de prophètes durables. Ce futurologue de Davos qui, aveugle et sourd à la crise financière qui approchait, annonçait un baril à 500 dollars, pourquoi aurait-il raison ? D'où tient-il sa double vue ? A-t-il un diplôme de prophète ? Le baril est monté à 150 dollars, puis nous l'avons vu redescendre au-dessous de 50, sans aucune explication raisonnable. Il remontera peut-être, ou descendra encore. Nous n'en savons rien. Le futur n'est pas une profession.

Le propre des prophètes, vrais comme faux, est toujours de se tromper. Je ne sais plus qui disait : « Si l'avenir est l'avenir, il est toujours inattendu. » La grande qualité de l'avenir, c'est d'être perpétuellement surprenant. J'ai toujours été frappé par le fait que, dans la grande littérature de science-fiction qui va du début du XXe siècle à la fin des années cinquante, pas un auteur n'a imaginé la matière plastique, laquelle a pris une place si considérable dans notre existence. Nous nous projetons toujours dans la fiction, ou dans l'avenir, à partir de ce que nous connaissons. Mais l'avenir ne procède pas du connu. Il y aurait mille exemples à citer. Lorsque, dans les années soixante, je partais travailler sur un scénario au Mexique avec Buñuel, dans un endroit toujours très reculé, j'emportais une petite machine à écrire portative avec un ruban noir et rouge. Si par malheur le ruban cassait, je n'avais aucune possibilité d'en trouver un de rechange à Zitacuaro, la ville voisine. J'imagine le confort qu'aurait représenté pour nous un ordinateur! Mais nous étions alors bien en peine de l'anticiper.

J.-P. de T. : *L'hommage rendu ici au livre cherche simplement à montrer que les technologies contemporaines sont loin de l'avoir disqualifié. Peut-être d'ailleurs devons-nous relativiser, dans certains cas, les progrès que ces technologies sont censées représenter. Je pense notamment à l'exemple que vous donniez, Jean-Claude, d'un Restif de La Bretonne imprimant à l'aube ce dont il avait été le témoin dans la nuit.*

J.-C.C. : C'est un exploit indéniable. Le grand collectionneur brésilien José Mindlin m'a montré une édition des *Misérables* publiée et imprimée à Rio, en portugais, en 1862, c'est-à-dire l'année même de la publication du livre en France. Deux mois seulement après Paris! Pendant que Victor Hugo écrivait, Hetzel, son éditeur, envoyait le livre, chapitre après chapitre, aux éditeurs étrangers. Autrement dit, la diffusion de l'œuvre était à peu près celle de ces best-sellers aujourd'hui proposés dans plusieurs pays et en plusieurs langues simultanément. Il est parfois utile de relativiser nos prétendues prouesses techniques. Dans le cas de Victor Hugo, les choses allaient plus vite qu'aujourd'hui.

U.E. : Dans le même esprit, Alessandro Manzoni a publié *Les Fiancés* en 1827 et connu un très grand succès grâce à une trentaine d'éditions pirates dans le monde entier, mais qui ne lui ont pas rapporté un sou. Il a voulu faire une édition illustrée avec l'éditeur Redaelli de Milan et le graveur Gonin de Turin et en contrôler la publication, fascicule après fascicule. Un éditeur napolitain l'a piraté semaine après semaine et il a perdu tout son argent dans cette affaire. C'est encore une illustration de la relativité de nos prouesses techniques. Mais il y aurait bien d'autres exemples. Au XVIe siècle, Robert Fludd publiait en un an trois ou quatre livres. Il vivait en Angleterre. Les livres étaient publiés à Amsterdam. Il recevait les épreuves, les corrigeait, contrôlait les gravures, retournait l'ensemble... mais comment faisait-il ? Ce sont des livres de six cents pages illustrés ! Il faut croire que les postes fonctionnaient mieux que les nôtres ! Galilée était en correspondance avec Kepler et tous les savants de son temps. Il était immédiatement informé d'une découverte.

Peut-être pouvons-nous cependant apporter un bémol à cette comparaison qui semble avantager l'ancien temps. J'ai fait traduire dans les années soixante (en qualité d'éditeur) le livre de Derek de Solla Price, *Little Science, Big Science*. L'auteur y démontrait à l'aide de statistiques que le nombre de publications scientifiques au XVIIe était tel qu'un bon scientifique pouvait se tenir au courant de tout ce qui paraissait, alors qu'il est impossible, aujourd'hui, à ce même scientifique, de prendre seulement connaissance des « abstracts » concernant les articles publiés dans son domaine de recherche. Peut-être ne dispose-t-il plus, même avec des moyens de communication plus performants, du temps qu'avait un savant comme Robert Fludd pour mener à bien tant de projets éditoriaux...

J.-C.C. : Prenez nos clés USB et autres méthodes pour stocker l'information et l'emporter avec nous. Là encore nous n'avons rien inventé. A la fin du XVIIIᵉ siècle, les aristocrates transportaient avec eux, durant leurs déplacements, dans de petites valises, des bibliothèques de voyage. En trente ou quarante volumes, en format de poche, ils ne se séparaient pas de tout ce qu'une honnête personne se devait de connaître. Ces bibliothèques, bien sûr, n'étaient pas évaluées en gigas, mais le principe était acquis.

Cela m'évoque une autre forme de « raccourci », celle-ci plus problématique. Dans les années soixante-dix, j'habitais à New York dans un appartement mis à ma disposition par un producteur de cinéma. Il n'y avait pas de livres dans cet appartement, sauf une bibliothèque contenant « les chefs-d'œuvre de la littérature mondiale *in digest form* ». Voilà une chose à proprement parler irréelle : *Guerre et Paix* en cinquante pages, Balzac en un volume. Je n'en revenais pas. Tout était là, mais incomplet, mutilé. Quel travail gigantesque pour pareille absurdité!

U.E. : Il y a abrégé et abrégé. On a mené en Italie, dans les années 1930-1940, une expérience extraordinaire appelée « La Scala d'Oro ». Il s'agissait d'une série de livres répartis par âges. Il y avait la série de 7 à 8 ans, celle de 8 à 9 ans, et ainsi jusqu'à 14 ans, l'ensemble illustré de façon merveilleuse par les meilleurs artistes de l'époque. Tous les grands chefs-d'œuvre de la littérature y avaient trouvé leur place. Pour pouvoir le rendre accessible au public concerné, chaque ouvrage avait été récrit par un bon écrivain pour la jeunesse. Bien entendu, ils étaient un peu *ad usum delphini*. Par exemple Javert ne se suicidait pas, il donnait seulement sa démission. Je dois dire que lorsque, plus âgé, j'ai lu *Les Misérables* dans la version originale, j'ai enfin appris toute la vérité sur Javert. Mais je dois reconnaître que l'essentiel m'avait été transmis.

J.-C.C. : Seule différence : cette bibliothèque en raccourci, dans l'appartement du producteur, était destinée à des adultes. Et même, je l'ai soupçonné, peut-être était-elle là pour être montrée, pour être vue, plus que pour être lue. Cela dit, les mutilations sont de tous les temps. Au XVIIIe siècle, les premières pièces de Shakespeare traduites en français par l'abbé Delille se terminent toutes bien, de façon convenable et morale, comme vos *Misérables* dans la collection « La Scala d'Oro ». Hamlet ne meurt pas, par exemple. A part Voltaire qui en avait traduit, assez bien d'ailleurs, quelques petits passages, c'était la première fois que le public français pouvait lire Shakespeare, dans cette version édulcorée. Cet auteur que l'on disait barbare et sanglant n'était que galanterie et sirop.

Vous savez comment Voltaire a traduit « *To be or not to be, that is the question* »? « Arrête, il faut choisir et passer à l'instant / De la vie à la mort ou de l'être au néant. » Pas mal, au fond. Il est possible que le titre de Sartre, *L'Etre et le Néant*, soit emprunté à cette traduction de Voltaire.

J.-P. de T. : *Vous citiez, Jean-Claude, ces premières clés USB que furent les bibliothèques de voyage que les lettrés transportaient déjà avec eux au XVIIIᵉ siècle. Avez-vous le sentiment que la plupart de nos inventions sont la réalisation de rêves anciens de l'humanité?*

U.E. : Le rêve de voler hante l'imaginaire collectif depuis des temps immémoriaux.

J.-C.C. : Je crois en effet que de nombreuses inventions de notre temps sont la concrétisation de rêves très anciens. Je le disais à mes amis scientifiques Jean Audouze et Michel Cassé, lorsque nous travaillions ensemble sur nos *Conversations sur l'invisible*. Un exemple : je me suis récemment replongé dans le fameux livre VI de *L'Enéide*, où

Enée descend aux Enfers pour y retrouver ces ombres qui, pour les Romains, étaient à la fois les âmes de ceux qui avaient déjà vécu mais aussi les âmes de ceux qui vivraient un jour. Le temps est ici aboli. Le royaume des ombres de Virgile préfigure un espace-temps einsteinien. Je relisais quelques pages de ce voyage en me disant que Virgile était déjà descendu dans le monde virtuel, dans les entrailles d'un immense ordinateur, où se pressent des avatars silencieux. Tous les personnages que vous croisez dans ce monde-là ont été quelqu'un ou ont la possibilité d'être un jour quelqu'un. Marcellus est dans *L'Enéide* un jeune homme merveilleux sur lequel on comptait beaucoup, du vivant de Virgile, et qui malheureusement est mort très jeune. Lorsqu'on s'adresse à ce jeune homme pour lui dire : « Toi, tu seras Marcellus » (*Tu Marcellus eris*), alors que les lecteurs savent qu'il est mort, j'y vois toute la dimension virtuelle, toute la potentialité de celui qui aurait pu être quelqu'un d'inoubliable, peut-être le sauveur providentiel que l'on attendait, et qui n'aura été que Marcellus, un jeune mort.

Comme si Virgile avait eu la prescience de ce monde virtuel dans lequel nous sommes en train de nous complaire. Cette descente aux Enfers est un très beau thème, que la littérature universelle a différemment abordé. C'est le seul moyen qui nous ait été offert de vaincre à la fois l'espace et le temps, c'est-à-dire de pénétrer dans le royaume des morts, ou des ombres, et de voyager à la fois dans le passé et dans l'avenir, dans l'être et dans le néant. D'atteindre ainsi à une forme d'immortalité virtuelle.

Un autre exemple m'a toujours frappé. Dans le *Mahâbhârata*, une reine, qui s'appelle Gandhari, se trouve enceinte et ne parvient pas à accoucher. Or elle doit impérativement le faire afin que son enfant naisse avant celui que porte sa belle-sœur, car le premier-né sera roi. Elle demande à une servante vigoureuse de se saisir d'une barre de fer et de lui taper sur le ventre, de toutes ses forces. Jaillit alors de son vagin une boule de fer qui roule sur le sol. Elle veut la jeter, la faire disparaître, lorsque quelqu'un lui recommande de couper cette boule en cent morceaux et de placer chaque morceau dans une jarre, lui prédisant qu'ainsi lui naîtront cent fils. Ce qui, en effet, se produit. N'est-ce pas déjà une image de l'insémination artificielle? Ces jarres ne préfigurent-elles pas nos éprouvettes?

Et nous pourrions sans effort multiplier les exemples. Toujours dans le *Mahâbhârata,* du sperme est conservé, transporté, réutilisé. La Vierge Marie, une nuit, à Calanda, vient remplacer la jambe coupée d'un paysan espagnol : voici déjà une greffe. Et combien de clonages, de sperme utilisé après la mort du mâle? Combien, même, de chimères que nous pensions disparues à jamais dans des nuées lointaines – tête de bouc, queue de serpent, griffes de lion – et que nous voyons ressurgir dans les rêveries des laboratoires?

U.E. : Ce ne sont pas les rédacteurs du *Ma-hâbhârata* qui voyaient dans le futur. C'est le présent qui réalise les rêves des hommes qui nous ont précédés. Vous avez parfaitement raison. Nous sommes par exemple sur le point de donner réalité à la Fontaine de jouvence. Nous vivons de plus en plus vieux et nous sommes capables de terminer nos jours dans une forme insolente.

J.-C.C. : Dans cinquante ans, nous serons tous des créatures bioniques. Je vous regarde par exemple, Umberto, avec des yeux artificiels. J'ai subi une opération des cristallins il y a trois ans, au moment où s'annonçait une cataracte, ce qui me dispense désormais de me servir de lunettes, pour la première fois de ma vie. Et le résultat de l'opération est garanti cinquante ans ! Aujourd'hui mes yeux se portent comme un charme, mais l'un de mes genoux me trahit. Je dois donc décider, ou non, de le changer. Une prothèse m'attend quelque part. Au moins une.

J.-P. de T. : *Le futur est imprévisible. Le présent est entré dans une mue continuelle. Le passé, censé offrir un socle de référence et de réconfort, se dérobe. Engageons-nous des entretiens sur l'impermanence ?*

J.-C.C. : Le futur ne tient pas compte du passé, mais pas davantage du présent. Les avionneurs travaillent aujourd'hui sur des avions qui seront prêts dans vingt ans, mais conçus pour fonctionner avec du kérosène qui alors n'existera peut-être plus. Ce qui me frappe vraiment, c'est la complète disparition du présent. Nous sommes obsédés comme jamais par les modes rétro. Le passé nous rattrape à toute vitesse, bientôt nous serons soumis aux modes du trimestre précédent. L'avenir est comme toujours incertain et le présent progressivement se rétrécit et se dérobe.

U.E. : A propos de ce passé qui nous rattrape. J'ai installé sur mon ordinateur les meilleures radios du monde et j'ai une collection d'une quarantaine de *Oldies*. Quelques radios américaines proposent un programme exclusivement inspiré des années 1920 et 1930. Toutes les autres offrent d'explorer les années 1990, déjà considérées comme le plus lointain passé. Un récent sondage proposait le nom de Quentin Tarantino comme le meilleur réalisateur de tous les temps. Le public interrogé n'avait dû visionner ni Eisenstein, ni Ford, ni Welles, ni Capra, etc. C'est toujours le défaut de ce genre d'enquête. J'ai écrit un livre, dans les années soixante-dix, sur la manière de conduire sa thèse universitaire, livre traduit dans toutes les langues. La première recommandation que je faisais dans ce livre, où je donnais vraiment des conseils à propos de tout, était de ne jamais choisir un sujet contemporain. Ou bien la bibliographie est manquante ou elle est sujette à caution. Choisissez toujours, disais-je, un sujet classique. Or la majorité des thèses, aujourd'hui, portent sur des questions contemporaines. Je reçois ainsi des quantités de thèses consacrées à mon œuvre. C'est fou! Mais comment faire une thèse sur un type qui est encore vivant?

J.-C.C. : Si notre mémoire est courte, alors, effectivement, c'est ce proche passé qui presse le présent et le pousse, le bouscule vers un futur qui a pris la forme d'un immense point d'interrogation. Peut-être déjà d'exclamation. Où est passé le présent? Le merveilleux moment que nous sommes en train de vivre et que des conspirateurs multiples tentent de nous dérober? Je reprends contact avec ce moment-là, parfois, dans ma campagne, en écoutant la cloche de l'église donner calmement toutes les heures une sorte de « la » qui nous rappelle à nous-mêmes. « Tiens, il n'est que cinq heures... » Comme vous, je voyage beaucoup, je me perds dans les couloirs du temps, dans les décalages horaires et j'ai besoin, de plus en plus, de renouer avec ce présent qui nous devient insaisissable. Sinon, j'aurais l'impression d'être perdu. Et même, peut-être, d'être mort.

U.E. : La disparition du présent dont vous parlez n'est pas seulement due au fait que les modes, qui duraient autrefois trente ans, durent aujourd'hui trente jours. C'est aussi le problème de l'obsolescence des objets dont nous parlons. Vous consacriez quelques mois de votre vie à apprendre à faire de la bicyclette mais ce bagage, une fois acquis, était valable pour toujours. Désormais vous consacrez deux semaines à comprendre quelque chose d'un nouveau programme informatique et lorsque vous le maîtrisez à peu près, un nouveau est proposé, imposé. Ce n'est donc pas un problème de mémoire collective qui se perdrait. Ce serait plutôt pour moi celui de la labilité du présent. Nous ne vivons plus un présent placide mais nous sommes dans l'effort de nous préparer constamment au futur.

J.-C.C. : Nous nous sommes installés dans le mouvant, le changeant, le renouvelable, l'éphémère, dans une époque où paradoxalement, nous l'avons dit, nous vivons de plus en plus longtemps. Sans doute l'espérance de vie de nos grands-parents était-elle plus courte que la nôtre, mais ils s'installaient dans un présent immuable. Le grand-père de mon oncle, un propriétaire terrien, faisait ses comptes au premier janvier pour l'année à venir. Les résultats de l'année passée préfiguraient, à peu de chose près, ce que serait l'année suivante. Rien ne changeait.

U.E. : Nous nous préparions autrefois à cet examen final qui ponctuait une longue phase d'apprentissage : en Italie, l'examen de maturité ; en Allemagne l'Abitur ; en France le baccalauréat.

Après cela, personne n'était plus tenu d'apprendre, sauf l'élite qui allait à l'université. Le monde ne changeait pas. Ce que vous saviez, vous pouviez l'utiliser jusqu'à votre mort et jusqu'à celle de vos enfants. A dix-huit ou vingt ans, les gens entraient en retraite épistémologique. L'employé d'une société doit, de nos jours, constamment réactualiser ses connaissances sous peine de perdre son emploi. Le rite de passage que symbolisaient ces grands examens de fin d'études n'a plus aucune signification.

J.-C.C. : Ce que vous dites valait aussi, par exemple, pour les médecins. Le bagage qui était le leur à la sortie de leurs études restait valable pour le restant de leur carrière. Et ce que vous dites de cet apprentissage sans fin auquel chacun est désormais astreint est tout aussi valable pour ceux qui sont dits « en retraite ». Combien de personnes âgées ont-elles dû s'initier à l'informatique, qu'elles n'avaient évidemment pas pu connaître pendant leur période d'activité ? Nous sommes condamnés à être d'éternels étudiants, comme le Trofimov de *La Cerisaie*. Tant mieux, peut-être, au fond. Dans les mondes que nous appelons primitifs, qui ne changent pas, les vieux ont le pouvoir, puisque ce sont eux qui transmettent à leurs enfants les connaissances. Quand le monde est en révolution permanente, ce sont les enfants qui apprennent l'électronique à leurs parents. Et leurs enfants, que leur apprendront-ils ?

Citer les noms de tous les participants
à la bataille de Waterloo

J.-P. de T. : *Vous avez évoqué la difficulté de trouver aujourd'hui des instruments fiables pour conserver ce qui doit l'être. Mais la fonction de la mémoire est-elle de tout garder?*

U.E. : Non, certes. La mémoire – soit notre mémoire individuelle, soit cette mémoire collective qui est la culture – a une double fonction. L'une est de conserver en effet certaines données, l'autre est de laisser sombrer dans l'oubli les informations qui ne nous servent pas et qui pourraient encombrer inutilement nos cerveaux. Une culture qui ne sait pas filtrer ce que nous gardons en héritage des siècles passés est une culture qui peut nous évoquer le personnage de Funes, inventé par Borges dans *Funes ou la mémoire*, et qui est doté d'une capacité à se souvenir de tout. Ce qui est proprement le contraire de la culture. La culture est un cimetière de livres et d'autres objets à jamais disparus. Il existe aujourd'hui des travaux sur ce phénomène qui consiste à renoncer tacitement à certains vestiges du passé, et donc à filtrer, et de l'autre côté à placer d'autres éléments de cette culture dans une sorte de réfrigérateur, pour l'avenir. Les archives, les bibliothèques sont ces chambres froides dans lesquelles nous stockons la mémoire de manière que l'espace culturel ne soit pas encombré de tout ce fatras, mais sans y renoncer pour autant. Nous pourrons toujours, dans l'avenir, si le cœur nous en dit, y revenir.

Il est probable qu'un historien pourrait retrouver le nom de tous les participants à la bataille de Waterloo, mais on ne les enseignera pas pour autant à l'école, ni même à l'université, parce que ces détails ne sont pas nécessaires et sont peut-être même dangereux. Je prends un autre exemple. Nous savons tout de Calpurnia, la dernière épouse de César, jusqu'aux Ides de mars, date de l'assassinat, moment où elle lui déconseille d'aller au Sénat par suite d'un mauvais rêve qui lui est venu.

Après la mort de César, nous ne savons plus rien d'elle. Elle disparaît de nos mémoires. Pourquoi ? Parce qu'il n'était plus utile d'avoir des informations sur elle. Et ce n'est pas parce que, comme on pourrait le soupçonner, elle était une femme. Clara Schumann était aussi une femme, mais nous savons tout ce qu'elle a fait après la mort de Robert. La culture, c'est donc cette sélection. La culture contemporaine, au contraire, via Internet, nous abreuve de détails à propos de toutes les Calpurnia de la planète et chaque jour, à chaque minute, de telle façon qu'un gamin qui fait une recherche pour son devoir peut avoir le sentiment que Calpurnia est aussi importante que César.

J.-C.C. : Cependant, comment faire une sélection pour les générations qui nous suivrons ? Qui va sélectionner ? Comment prévoir ce qui intéressera nos descendants, ce qui leur sera indispensable, ou simplement utile, ou même agréable ? Comment filtrer lorsque, comme vous le disiez, tout nous parvient par le biais de nos ordinateurs sans aucun ordre, sans hiérarchie, sans sélection ? En d'autres termes, comment fabriquer notre mémoire, dans ces conditions, en sachant que cette mémoire est une question de choix, de préférences, de mises à l'écart, d'omissions volontaires et involontaires ? En sachant aussi que la mémoire de nos descendants ne sera pas forcément de même nature que la nôtre. Que sera la mémoire d'un clone ?

Je suis historien de formation et je sais à quel point nous devons nous méfier des documents censés nous livrer la connaissance exacte des événements du temps passé. Je peux illustrer la question de cette transmission par une histoire personnelle. Le père de Nahal, mon épouse, était un érudit iranien qui, entre autres travaux, a fait une étude sur un relieur de Bagdad qui vivait au Xᵉ siècle et qui s'appelait Al-Nadim. Vous savez que les Iraniens ont inventé la reliure, et même cette reliure qui recouvre complètement l'écrit pour le protéger.

Relieur cultivé, également calligraphe, cet homme s'intéressait aux livres qu'il était chargé de relier, au point qu'il les lisait et en faisait chaque fois un résumé. Or les livres qu'il a reliés ont aujourd'hui disparu, pour la plus grande part, et il ne nous reste que les résumés du relieur, son catalogue, qui s'intitule *Al-Fihrist*. Reza Tajadod, l'auteur de l'étude, posait ainsi la question de savoir ce que, à travers ce filtrage personnel que constituait le précieux travail du relieur, nous pouvons savoir exactement des livres qu'il avait eus entre les mains et dont nous ne connaissons l'existence que par lui.

U.E. : Nous connaissons certaines sculptures et peintures de l'Antiquité seulement par les descriptions qui en ont été faites. On appelait ces descriptions *ekphrasis*. Lorsqu'on a retrouvé à Rome, au temps de Michel-Ange, la statue du Laocoon, datant de l'époque hellénistique, elle a été identifiée sur la base des descriptions qu'en avait données Pline l'Ancien.

J.-C.C. : Mais si maintenant nous disposons de tout sur tout, sans filtrage, d'une somme sans limites d'informations accessible sur nos terminaux, que voudra dire la mémoire ? Quel sera le sens de ce mot ? Lorsque nous aurons à côté de nous un domestique électronique capable de répondre à toutes nos questions mais également à celles que nous ne pouvons pas même formuler, que nous restera-t-il à connaître ? Lorsque notre prothèse saura tout, absolument tout, que devrons-nous apprendre encore ?

U.E. : L'art de la synthèse.

J.-C.C. : Oui. Et l'acte même d'apprendre. Car apprendre s'apprend.

U.E. : Oui, apprendre à contrôler une information dont nous ne pouvons pas vérifier l'authenticité. C'est évidemment le dilemme des enseignants. Pour faire leur devoir, les écoliers, les étudiants vont puiser sur Internet les informations dont ils ont besoin, sans savoir si ces informations sont exactes. Et comment le pourraient-ils ? Alors le conseil que je donne aux enseignants est de demander à leurs élèves, à l'occasion d'un devoir, de faire la recherche suivante : à propos du sujet proposé, trouvez dix sources de renseignements différentes et comparez-les. Il s'agit d'exercer son sens critique face à Internet, d'apprendre à ne pas tout accepter pour argent comptant.

J.-C.C. : La question du filtrage veut aussi dire que nous devons décider de ce que nous devons lire. Les journaux nous signalent quinze chefs-d'œuvre « à ne pas manquer » chaque semaine, et ce dans tous les domaines de la création.

U.E. : J'ai formulé sur cette question une théorie de la décimation. Prenons le domaine des essais. Il suffit de lire un livre sur dix. Pour les autres, vous vous reportez à la bibliographie, aux notes et vous vous apercevez immédiatement si les références données sont sérieuses ou ne le sont pas. Si l'ouvrage est intéressant, il n'est pas nécessaire de le lire puisqu'il sera certainement commenté, cité, critiqué dans d'autres ouvrages, y compris dans celui que vous avez décidé de lire. D'ailleurs, si vous êtes universitaire, vous recevez une telle quantité de matériel imprimé avant la publication du livre que vous n'avez plus le temps de le lire une fois publié. De toute manière il est souvent déjà périmé lorsqu'il vous parvient. Sans parler de ce qu'on qualifie en Italie de livres « cuits et mangés », c'est-à-dire fabriqués en fonction des événements et des opportunités, et qui ne justifient pas de vous faire perdre votre temps.

J.-C.C. : Lorsque j'étais étudiant en histoire, il y a cinquante ans ou cinquante-cinq ans, on nous fournissait la chronologie nécessaire pour pouvoir traiter un sujet donné, cela afin de soulager notre mémoire. Nous n'avions pas à apprendre des dates au demeurant sans intérêt en dehors de l'exercice proposé. Si nous nous livrons au même exercice en nous appuyant sur les renseignements glanés sur Internet, il faut en toute logique vérifier la fiabilité des informations. Cet instrument, qui doit nous apporter un certain confort en mettant à notre disposition tout et n'importe quoi, le vrai et le moins vrai, nous plonge en réalité dans une extrême perplexité. J'imagine que les sites qui sont consacrés à Umberto Eco sont farcis de fausses informations, ou tout au moins d'inexactitudes. Est-ce que nous aurons besoin demain d'un secrétaire vérificateur ? Inventerons-nous une profession nouvelle ?

U.E. : Mais la tâche d'un vérificateur personnel ne serait pas si simple. Vous et moi pouvons nous permettre d'être des vérificateurs pour ce qui nous concerne. Mais qui sera le vérificateur personnel pour tout ce qui a trait, disons, à Clemenceau ou à Boulanger ? Et qui le paiera ? Pas l'Etat français, car alors il devra dépêcher des vérificateurs pour tous les personnages officiels de l'histoire de France !

J.-C.C. : Je crois quand même que, d'une façon ou d'une autre, nous aurons un besoin grandissant de ces vérificateurs. C'est une profession qui va se généraliser.

U.E. : Mais qui va vérifier le vérificateur ? Autrefois, les vérificateurs étaient les membres des grandes institutions culturelles, des Académies ou des Universités. Lorsque monsieur Untel, membre de l'Institut Machin, publiait son ouvrage sur Clemenceau, ou sur Platon, il fallait imaginer que les renseignements qu'il nous donnait étaient exacts, parce qu'il avait perdu une vie entière dans les bibliothèques à vérifier toutes ses sources. Mais aujourd'hui on court le risque que monsieur Untel ait lui aussi puisé ses informations sur Internet, et tout devient alors sujet à caution. Pour être honnête, tout cela pouvait se passer même avant Internet. Aussi bien la mémoire individuelle que la mémoire collective ne sont pas des photographies de ce qui s'est réellement passé. Ce sont des reconstructions.

J.-C.C. : Vous savez comme moi à quel point les exigences du nationalisme ont contribué à déformer la vision que nous avons de certains événements. Les historiens, malgré eux, obéissent souvent, et aujourd'hui encore, à l'idéologie, affichée ou souterraine, de leur pays. Les historiens chinois racontent en ce moment n'importe quoi sur les rapports anciens de la Chine avec le Tibet ou la Mongolie, et cela s'enseigne dans les écoles chinoises. Atatürk, à son époque, a fait complètement récrire l'histoire de la Turquie. Il a fait vivre des Turcs en Turquie à l'époque des Romains, des siècles avant leur arrivée. Et ainsi de suite, partout... Si nous voulons vérifier, où vérifions-nous ? Les Turcs, croyons-nous savoir, venaient en réalité d'Asie centrale, et les premiers habitants de la Turquie actuelle n'ont pas laissé de traces écrites. Comment faire ?

U.E. : Le problème est le même avec la géographie. Il n'y a pas très longtemps que nous avons rendu à l'Afrique ses dimensions exactes, longtemps minorées par les idéologies impérialistes.

J.-C.C. : Je me trouvais récemment en Bulgarie, à Sofia. Je descends à l'hôtel Arena Serdica que je ne connais pas. En entrant, je me rends compte que l'hôtel a été construit sur des ruines que l'on peut voir à travers une grande plaque en verre. J'interroge les gens de l'hôtel. Ils m'expliquent qu'il y avait en effet, à cet endroit même, un coliseum romain. Etonnement. Je ne savais pas que les Romains avaient construit un coliseum à Sofia, monument qui, ajoute-t-on, n'avait que dix mètres de moins, en diamètre, que celui de Rome. Enorme, donc. Et sur les murs extérieurs du coliseum, les archéologues ont trouvé des sculptures qui sont comme des affiches représentant les spectacles qui s'y déroulaient. On y voit des danseuses, des gladiateurs bien sûr et une chose que je n'avais encore jamais vue, un combat entre un lion et un crocodile. A Sofia !

Tout d'un coup ma mémoire de la Bulgarie, déjà bouleversée par la découverte des trésors des Thraces quelques années plus tôt, découvertes qui rejetaient ce territoire très loin dans le passé, plus loin que la Grèce, s'est trouvée profondément chahutée. Pourquoi un cirque de cette taille à

Sofia ? Parce qu'il existait là, me dit-on, des sources thermales très appréciées des Romains. Je me suis alors souvenu que Sofia n'est pas très éloignée de l'endroit où le pauvre Ovide avait enduré l'exil. Et voilà que la Bulgarie, dont je croyais les attaches slaves incontestables, devenait une colonie romaine !

Le passé n'en finit pas de nous surprendre, plus que le présent, plus que le futur peut-être. Je vous livre, pour en finir avec cette évocation d'une Bulgarie soudain romaine, cette citation du comique bavarois Karl Valentin : « L'avenir aussi était mieux autrefois. » On lui doit aussi cette remarque pleine de bon sens : « Tout a été déjà dit, mais pas par tout le monde. »

Nous sommes en tout cas parvenus à ce moment de notre histoire où nous pouvons déléguer à des machines intelligentes – intelligentes de notre point de vue – le soin de se souvenir à notre place, des bonnes et des mauvaises choses. Michel Serres est revenu sur ce thème dans un entretien donné au *Monde de l'Education* en disant que, si nous n'avons plus cet effort de mémorisation à fournir, alors « il ne nous reste que l'intelligence ».

U.E. : Bien entendu, apprendre les tables de multiplication à une époque où les machines peuvent compter mieux que n'importe qui, n'a pas grand sens. Mais il reste le problème de notre capacité « gymnastique ». Il est évident qu'avec une voiture je peux aller plus vite qu'à pied. Cependant il faut marcher un peu tous les jours, ou faire du jogging, pour ne pas devenir un légume. Vous connaissez certainement cette belle histoire de science-fiction racontant comment le Pentagone découvre, au siècle prochain, dans une société où désormais seuls les ordinateurs pensent à notre place, quelqu'un qui connaît encore par cœur les tables de multiplication. Les militaires s'accordent alors à penser qu'il s'agit là d'une sorte de génie particulièrement précieux en temps de guerre, le jour où le monde sera victime d'une panne électrique globale.

Il y a une deuxième objection. Dans certains cas, le fait de savoir certaines choses par cœur vous donne des facultés d'intelligence supérieures. Je suis bien d'accord pour dire que la culture n'est pas le fait de savoir la date exacte de la mort de Napoléon. Mais nul doute que tout ce que vous pouvez savoir par vous-même, et même la date de la mort de Napoléon, le 5 mai 1821, vous donne une certaine autonomie intellectuelle.

Cette question n'est pas nouvelle. L'invention de l'imprimerie est déjà cette possibilité offerte de mettre la culture dont on ne veut pas s'encombrer en réserve, au « frigidaire », dans les livres, en sachant simplement où trouver l'information dont on a ponctuellement besoin. Il y a donc délégation d'une partie de la mémoire à des livres, à des machines, mais il demeure une obligation de savoir tirer le meilleur parti de ses outils. Et donc d'entretenir sa propre mémoire.

J.-C.C. : Mais nul ne contestera le fait que, pour pouvoir utiliser ces outils sophistiqués qui, nous l'avons déjà vu, ont tendance à se périmer à une vitesse accélérée, nous sommes tenus de réapprendre sans cesse de nouveaux usages et langages, et de les mémoriser. Notre mémoire est puissamment sollicitée. Plus que jamais, peut-être.

U.E. : Bien entendu. Si vous n'avez pas été capable, depuis l'arrivée des premiers ordinateurs en 1983, de recycler en permanence votre mémoire informatique en passant d'une disquette flexible à une disquette au format plus réduit, puis à un disque et maintenant à une clé, vous avez plusieurs fois perdu vos données, partiellement ou intégralement. Car, bien entendu, aucun ordinateur ne peut lire les premières disquettes appartenant déjà à l'ère préhistorique de l'informatique. J'ai cherché désespérément une première version de mon *Pendule de Foucault* que j'avais dû enregistrer sur disquette dans les années 1984 ou 1985, sans succès. Si j'avais tapé mon roman à la machine, elle serait encore là.

J.-C.C. : Il y a peut-être quelque chose qui ne disparaît pas, c'est la mémoire que nous conservons de ce que nous avons éprouvé à travers les différents

moments de notre existence. La mémoire précieuse
– et parfois trompeuse – des sentiments, des émo-
tions. La mémoire affective. Qui voudrait nous en
décharger et à quelle fin ?

U.E. : Mais cette mémoire biologique doit être
entraînée jour après jour. Si notre mémoire était
comme celle d'une disquette, alors nous aurions
notre Alzheimer à cinquante ans. Parce qu'une des
façons d'éloigner cet Alzheimer, ou toute autre
forme de démence sénile, c'est précisément de
continuer à apprendre, par exemple un poème par
cœur tous les matins. De faire toutes sortes
d'exercices d'intelligence. Même des rébus ou des
anagrammes. Notre génération était encore obligée
d'apprendre des poèmes par cœur à l'école. Mais
c'est de moins en moins le cas avec les suivantes. Il
s'agissait simplement, en apprenant par cœur,
d'exercer nos facultés de mémoire, et donc d'intelligence. Aujourd'hui où nous ne sommes plus obligés
de le faire, il nous faut d'une certaine manière nous
imposer cet exercice quotidien sans lequel nous
risquons d'être atteints précocement de sénilité.

J.-C.C. : Laissez-moi apporter deux nuances à ce
que vous dites. Il est vrai que la mémoire est un
muscle, d'une certaine façon, et que nous pouvons
l'entraîner, comme sans doute l'imagination. Sans
aller cependant jusqu'à devenir le Funes de Borges,
dont vous parliez précédemment, un homme qui se

souvient de tout, qui a perdu le doux privilège d'oublier. Et pourtant : personne n'a appris plus de textes que les acteurs de théâtre. Or, malgré ce travail, malgré cette application de toute une vie, nous connaissons beaucoup d'exemples d'Alzheimer parmi ces acteurs et je me suis souvent demandé pourquoi. Ensuite je suis frappé, sans doute comme vous, par la coïncidence entre le développement de la mémoire artificielle, celle qui est stockée dans nos ordinateurs et qui semble absolument infinie, et celui de la maladie d'Alzheimer, comme si les machines avaient pris le pas sur l'humain, rendant notre mémoire inutile, dérisoire. Nous n'avons plus besoin d'être nous-mêmes. C'est étonnant et assez terrifiant, non ?

U.E. : Il faut certainement distinguer la fonction du support matériel. Marcher entretient la fonction de ma jambe, mais je peux me la casser, et dans ce cas je ne marche plus. Nous pouvons dire la même chose du cerveau. Evidemment, si la matière grise est atteinte de quelque forme de dégénérescence physique, le fait d'avoir appris par cœur chaque jour dix vers de Racine ne suffit pas. Un de mes amis, Giorgio Prodi, frère de Romano Prodi, un très grand cancérologue mort d'ailleurs d'un cancer, alors que son cerveau savait pertinemment tout sur ce sujet, me disait : « Si demain nous vivions tous jusqu'à cent ans, la majorité d'entre nous mourrait du cancer. » Plus la durée de vie augmente et plus

les probabilités que notre corps se détraque aug-
mentent. Je veux dire par là que notre Alzheimer
est peut-être tout simplement la conséquence du
fait que nous vivons plus longtemps.

J.-C.C. : Objection, Votre Honneur. J'ai lu récemment un article dans une revue médicale indi-
quant que l'Alzheimer rajeunissait. Des gens de
quarante-cinq ans peuvent aujourd'hui en être
atteints.

U.E. : Bon. Alors je cesse d'apprendre des poèmes par cœur et je me bois deux bouteilles de
whisky par jour. Merci de m'avoir donné un espoir.
« Merdre ! », comme disait Ubu.

J.-C.C. : Je me souviens justement, ma mémoire
fonctionne à point nommé, de cette citation : « J'ai
gardé le souvenir d'un homme qui avait une mémoire extraordinaire. Mais j'ai oublié ce qu'il
savait. » Je ne me souviens donc que de l'oubli.
Cela dit, je crois que notre échange permet maint-
nant de rappeler la distinction que la langue française fait entre le savoir et la connaissance. Le
savoir, c'est ce dont nous sommes encombrés et qui
ne trouve pas toujours une utilité. La connaissance,
c'est la transformation d'un savoir en une expérience de vie. Nous pouvons donc peut-être confier
la charge de ce savoir sans cesse renouvelé à des
machines et nous concentrer sur la connaissance.

C'est sans doute dans ce sens qu'il faut entendre la phrase de Michel Serres. Il ne nous reste en effet – quel soulagement – que l'intelligence. Ajoutons que, naturellement, ces questions que nous nous posons à propos de la mémoire, et dont nous débattons, seront frappées de vanité, d'absurdité, si une crise écologique majeure démolit la race humaine et si, par accident ou par usure, nous disparaissons. J'ai en tête la dernière phrase des *Mythologiques* de Lévi-Strauss : « C'est-à-dire rien. » « Rien » est le dernier mot. Notre dernier mot.

La revanche des filtrés

J.-P. de T. : *Il me semble qu'il faut revenir à cette situation que crée la mise à disposition d'une mémoire incontrôlable avec Internet. Comment traiter ce matériau, cette diversité, ces contradictions, cette abondance?*

J.-C.C. : Ce qu'Internet nous donne est en effet une information brute, sans aucune distinction, ou presque, sans contrôle des sources ni hiérarchisation. Or chacun a besoin non seulement de vérifier mais aussi de donner du sens, c'est-à-dire d'ordonner, de placer son savoir à un moment de son discours. Mais selon quels critères? Nos livres d'histoire, nous l'avons dit, ont été souvent écrits à partir de préférences nationales, d'influences parfois passagères, de choix idéologiques qui se faisaient sentir ici ou là. Aucune histoire de la Révolution française n'est innocente. Danton est le grand homme des historiens français du XIXe siècle, il a des statues et des rues partout à son nom. Puis il tombe en disgrâce, convaincu de corruption, et Robespierre l'Incorruptible, soutenu par des historiens

87

marxistes comme Albert Matthiez, revient en force. Il parvient à se faire attribuer quelques rues dans les banlieues communistes, et même un métro à Montreuil-sous-Bois. Demain, qui ? Quoi ? Nous ne le savons pas. Nous avons donc besoin d'un point de vue, ou au moins de quelques repères, pour aborder cet océan tumultueux du savoir.

U.E. : Je vois un autre danger. Les cultures opèrent leur filtrage en nous disant ce qu'il faut conserver et ce qu'il faut oublier. Dans ce sens-là, elles nous offrent un terrain commun d'entente, y compris à l'égard des erreurs. Vous pouvez comprendre la révolution qu'opère Galilée seulement à partir des théories de Ptolémée. Il nous faut partager l'étape Ptolémée pour accéder à l'étape Galilée et nous rendre compte que le premier s'était trompé. Toute discussion entre nous ne peut se faire que sur la base d'une encyclopédie commune. Je peux même vous démontrer que Napoléon n'a jamais existé — mais seulement parce que nous avons appris tous les trois qu'il a existé. C'est là la garantie de la continuité du dialogue. Ce sont ces grégarismes qui autorisent le dialogue, la création et la liberté. Avec Internet, qui vous donne tout et qui vous condamne, comme vous venez de le dire, à opérer un filtrage non plus par la médiation de la culture mais de votre propre chef, nous courons le risque de disposer désormais de six milliards d'encyclopédies. Ce qui empêchera toute entente.

C'est un peu de la science-fiction, car il y aura toujours des forces qui pousseront les gens à adhérer aux mêmes croyances, je veux dire qu'il y aura toujours l'autorité reconnue de ce qu'on appelle la communauté scientifique internationale, à laquelle nous faisons confiance parce que nous voyons qu'elle est capable de revoir et de corriger de façon publique ses conclusions, et cela chaque jour. C'est à cause de notre confiance dans la communauté scientifique que nous croyons dur comme fer qu'il est vrai que la racine carrée de 2 est 1,4142135623730 9504880168872420969807856967187537694807 317667973799073 (je ne la connais pas par cœur, j'ai contrôlé sur mon ordinateur de poche). Autrement dit, quelle autre garantie aurait une personne normale que cela est vrai ? On pourrait dire que les vérités scientifiques resteront plus ou moins valables pour tous parce que, si nous ne partagions pas les mêmes notions mathématiques, il serait impossible de bâtir une maison.

Mais il suffit de circuler un peu sur Internet pour trouver des groupes qui mettent en cause des notions que nous croyons partagées par tous, en soutenant, par exemple, que la Terre est creuse à l'intérieur et que nous vivons sur sa surface interne, ou encore que le monde a été réellement créé en six jours. Par conséquent, le risque de rencontrer plusieurs savoirs différents existe. Nous étions persuadés qu'avec la globalisation tout le monde penserait de la même façon. Nous avons un résultat en tous points contraire : elle contribue au morcellement de l'expérience commune.

J.-C.C. : A propos de ce foisonnement, à travers lequel chacun est tenu de se frayer son chemin coûte que coûte, je songe parfois au panthéon indien avec ses trente-six mille divinités majeures et ses divinités secondaires, en nombre illimité. Malgré cet éparpillement du divin, il y a cependant de grands dieux qui sont communs à tous les Indiens. Pourquoi ? Il existe un point de vue qu'on appelle en Inde le point de vue de la tortue. Vous placez une tortue sur le sol, les quatre pattes dépassant de sa carapace. Elles représentent les quatre points cardinaux. Vous montez sur la tortue qui est un des avatars de Vishnu et vous choisissez, dans les trente-six mille divinités que vous apercevez autour de vous, celles qui vous parlent particulièrement. Après quoi vous tracez votre chemin.

C'est pour moi la même chose, ou à peu près, que le chemin personnel que nous pouvons effectuer sur Internet. Chaque Indien a ses divinités personnelles. Et pourtant, tous partagent une communauté de croyances. Mais je reviens au filtrage. Nous avons tous été éduqués au travers de filtrages réalisés avant nous. C'est le propre de toute culture, comme vous l'avez rappelé. Mais il n'est évidemment pas interdit de mettre ces filtrages en question. Et nous ne nous en privons pas. Un exemple : pour moi, les plus grands poètes français, à part Rimbaud et Baudelaire, sont inconnus. Ce sont les poètes baroques licencieux et précieux du début du XVIIe siècle, que Boileau et les classiques ont frappés de mort soudaine. Ils s'appellent Jean de Lacépède, Jean-Baptiste Chassignet, Claude Hopil, Pierre de Marbeuf. Ce sont des poètes que je connais parfois par cœur mais que je ne peux trouver que dans des éditions originales, c'est-à-dire publiées de leur temps, rares et chères. Ils n'ont presque jamais été réédités. Je confirme qu'ils comptent parmi les plus grands poètes français, infiniment supérieurs à Lamartine, à Alfred de Musset, qu'on nous a pourtant vendus comme les plus éminents représentants de notre poésie. Musset a laissé quatorze œuvres et je fus heureux de découvrir un jour qu'Alfred Jarry l'avait appelé quatorze fois nul.

Notre passé n'est donc pas figé. Rien n'est plus vivant que le passé. Je vais un peu plus loin. Lorsque j'ai adapté *Cyrano de Bergerac* d'Edmond Rostand pour en faire un film, avec Jean-Paul Rappeneau nous avons voulu mettre l'accent sur le personnage de Roxane qui est, dans la pièce, assez négligé. Je m'amusais à raconter l'histoire en disant que c'était celle d'une femme. Comment ça, l'histoire d'une femme ? Oui, une femme qui a trouvé l'homme idéal, il est beau, intelligent, généreux, il n'a qu'un défaut : il est deux.

Roxane goûtait particulièrement les poètes de ce temps-là, de son temps. Pour familiariser la comé-

91

dienne, Anne Brochet, avec son personnage, celui d'une provinciale intelligente et sensible, montée à Paris, je lui ai mis entre les mains des exemplaires originaux de ces poètes oubliés. Et non seulement ces poètes lui ont plu, mais nous en avons fait ensemble, au Festival d'Avignon, une lecture. Il est donc possible de ressusciter, même pour un moment, des morts injustement condamnés.

Et je parle bien de morts, de vrais morts. Nous devons nous souvenir que certains de ces poètes ont été brûlés en place de Grève, en plein XVIIe siècle, parce qu'ils étaient des libertins, rebelles, souvent homosexuels et toujours insolents. Ce fut le cas de Jacques Chausson, puis de Claude Petit. Nous avons de ce dernier un sonnet écrit sur la mort de son ami, coupable de sodomie, de libertinage, et brûlé en 1661. Le bourreau passait aux prisonniers une chemise tout imbibée de soufre de telle sorte que le feu embrasât très vite le condamné, et l'étouffât. « Amis, on a brûlé le malheureux Chausson. » C'est ainsi que commence le sonnet de Claude Petit. Il raconte l'affreux supplice et termine en disant, faisant allusion à la chemise de soufre qui s'embrase : « Il mourut à la fin comme il avait vécu / En montrant, le vilain, son cul à tout le monde. »

Claude Petit sera brûlé à son tour, un an plus tard. Peu de gens savent cela. Nous sommes à l'époque des succès de Corneille, de Molière, de la construction de Versailles, dans notre « Grand Siècle ». Voilà donc une autre forme de filtrage :

brûler des hommes. Il y a eu par bonheur, et merci
à la bibliophilie, à la fin du XIXᵉ siècle, un bibliophile, Frédéric Lachèvre, qui s'est passionné pour
ces poètes et qui les a republiés, à petit nombre
d'exemplaires. Grâce à lui nous pouvons encore les
lire.

U.E. : Vous parlez des poètes baroques français
oubliés. Dans la première moitié du XXᵉ siècle, la
plus grande partie de la poésie baroque italienne
était totalement occultée par les programmes
scolaires italiens parce qu'elle était regardée comme
un moment de décadence. J'appartiens à la génération qui, à l'université, non pas au lycée, en écoutant des maîtres innovateurs, a redécouvert le
baroque et à tel point, en ce qui me concerne, qu'il
a inspiré mon roman *L'Ile du jour d'avant*, qui se
situe à cette période. Mais nous avons aussi contribué à réviser notre vision du Moyen Age, révision
entreprise déjà dans la seconde moitié du
XIXᵉ siècle. J'ai travaillé sur l'esthétique du Moyen
Age. Il existait alors deux ou trois savants qui s'en
étaient occupés de façon sublime, mais la classe
intellectuelle continuait à renâcler et il fallait
persévérer. Mais votre non-découverte et notre
redécouverte du baroque sont dues aussi au fait que
la France n'a pas eu un véritable baroque en architecture. Le XVIIᵉ siècle français est déjà classique.
Tandis que l'Italie a, à la même époque, Bernini,
Borromini qui sont, en architecture, en correspon-

dance absolue avec cette poésie. Vous n'êtes donc pas passés à travers le vertige de l'architecture. L'église Saint-Sulpice n'est pas du baroque. Je ne veux pas être méchant et dire comme Huysmans qu'elle est le modèle de toutes les gares françaises.

J.-C.C. : Il n'empêche qu'il y a situé une partie de l'action de son roman *Là-bas*.

U.E. : J'aime tout le quartier de Saint-Sulpice, même l'église. Simplement elle ne m'évoque pas le grand baroque italien, ou même bavarois, même si son architecte, Servandoni, était italien.

J.-C.C. : Lorsque Henri IV fait construire la place des Vosges, à Paris, elle est déjà très ordonnée, en effet.

U.E. : Bien que conçus à la Renaissance, les châteaux de la Loire à l'exemple de Chambord, sont-ils en définitive les seuls exemples d'un baroque français ?

J.-C.C. : En Allemagne, le baroque est l'équivalent du classique.

U.E. : C'est pourquoi Andreas Gryphius est pour eux un grand poète et doit correspondre probablement à vos poètes français oubliés. Maintenant, je vois aussi une autre raison qui pourrait expliquer que le baroque darde ici ou là avec plus ou moins d'éclat. Le baroque surgit au milieu d'une période de décadence politique comme c'est le cas en Italie, quand le pouvoir central en France, au contraire, se renforce considérablement à la même époque. Un roi trop puissant ne peut autoriser ses architectes à se laisser aller à leur fantaisie. Le baroque est libertaire, anarchique.

J.-C.C. : Presque rebelle. La France est alors sous le diktat de la sentence terrible de Boileau qui dit : « Enfin Malherbe vint et le premier en France / Fit sentir dans ses vers une juste cadence. » Boileau, oui, qui est l'antipoète par excellence. Maintenant pour citer une autre figure longtemps méconnue et récemment redécouverte, exact contemporain de notre taliban français, il nous faut mentionner Baltasar Gracián, auteur notamment de *L'Homme de cour*.

U.E. : Il existe une autre figure importante, à l'époque. A peu près au moment où Gracián travaillait en Espagne à son *Oraculo manual y arte de prudencia* (*L'Homme de cour*), en Italie Torquato Accetto écrivait *De l'honnête dissimulation*. Gracián et Accetto s'accordent sur bien des points. Mais tandis que Gracián conseille d'adopter à la cour un comportement en parfait désaccord avec ce que l'on est dans le souci de mieux briller, Accetto prescrit d'opter pour une conduite qui permette de cacher ce que l'on est dans le souci premier de se protéger. Ce sont des nuances, bien sûr, opérées par les auteurs de ces deux traités de la simulation, l'une pour mieux paraître, l'autre pour mieux disparaître.

J.-C.C. : L'auteur italien qui n'a jamais eu besoin de réhabilitation dans ce domaine est évidemment Machiavel. Pensez-vous d'ailleurs qu'il existe, dans le domaine des sciences, les mêmes injustices s'appliquant à quelques grandes figures oubliées ?

U.E. : La science est meurtrière, mais dans un autre sens. Elle tue l'idée précédente si celle-ci est invalidée par une découverte plus récente. Les savants, par exemple, croyaient que les ondes circulaient dans l'éther. Une fois démontré que l'éther n'existe pas, personne n'a plus le droit d'en parler. Et l'hypothèse abandonnée reste alors une matière pour l'histoire de la science. Malheureusement, la philosophie analytique aux Etats-Unis, dans son désir inaccompli de ressembler à la science, a assumé le même point de vue. Il y a quelques décennies, au département de philosophie de Princeton, on pouvait lire : « Interdit aux historiens de la philosophie ». Au contraire, les sciences humaines ne peuvent pas oublier leur histoire. Un philosophe analytique m'a demandé une fois pourquoi il aurait à s'embarrasser de ce que les stoïciens avaient dit sur telle ou telle question. Ou bien il s'agit d'une bêtise et elle ne nous intéresse pas. Ou bien il s'agit d'une idée valable et il est peu probable que l'un d'entre nous ne la formule pas tôt ou tard.

Je lui ai répondu que les stoïciens avaient peut-être soulevé d'intéressants problèmes, depuis lors abandonnés, mais qu'il nous fallait redécouvrir toutes affaires cessantes. S'ils avaient vu juste, je ne vois pas pourquoi il nous aurait fallu attendre que quelque génie américain redécouvrît cette idée fort ancienne, tout imbécile européen la connaissant déjà. Ou alors, si le développement de telle idée jadis émise avait conduit à une impasse, il convenait dès lors de le savoir pour ne pas emprunter à nouveau un chemin qui ne menait nulle part.

J.-C.C. : Je vous citais nos grands poètes français méconnus. Parlez-moi des auteurs italiens oubliés. Injustement oubliés.

U.E. : J'ai parlé des baroques mineurs, bien que le plus important d'entre eux, Giovan Battista Marino, à l'époque, fût plus célèbre en France qu'en Italie. Pour le reste du XVIIᵉ siècle, nos grands hommes étaient des scientifiques et des philosophes, comme Galilée ou Bruno, ou Campanella, qui appartiennent au « syllabus » universel. Si notre XVIIIᵉ siècle a été très faible, lorsque nous le comparons à ce qui se passait en France à la même époque, nous ne pouvons pourtant pas passer sous silence le cas Goldoni. Moins connus sont les philosophes italiens des Lumières, à savoir Beccaria, le premier qui a parlé contre la peine de mort. Mais le plus grand penseur du XVIIIᵉ siècle italien a été sans aucun doute Vico, qui a anticipé la philosophie de l'histoire du XIXᵉ siècle. Il a été davantage réévalué dans le monde anglo-saxon qu'en France.

Giacomo Leopardi est sans doute un des plus grands poètes du XIXᵉ siècle, dans n'importe quelle langue, mais il reste peu connu en France, malgré de bonnes traductions. Mais, surtout, Leopardi a été un grand penseur et comme tel il n'est pas même reconnu en Italie. C'est curieux. Il y a quelques années, son immense *Zibaldone* (réflexions philosophiques absolument non systématiques sur tout, et même un peu plus) a été traduit en français, mais il n'a touché qu'une petite minorité de philosophes ou d'italianistes. Même chose pour Alessandro Manzoni : ses *Fiancés* ont connu plusieurs traductions françaises (dès leur parution et encore récemment), mais il n'a jamais conquis un vaste public. Dommage, car je le considère comme un grand romancier.

Il existe même des traductions des *Confessions d'un Italien* d'Ippolito Nievo, mais pourquoi les Français devraient-ils le lire puisque même les Italiens ne le relisent pas (à moins que ce ne soit une bonne raison pour le faire) ? J'ai honte d'avouer que je ne l'ai lu, en entier, que tout récemment. Une découverte. On le disait ennuyeux. Ce n'est pas vrai. L'ouvrage est prenant. Peut-être devient-il un peu lourd dans le deuxième volume, mais le premier est d'une grande beauté. D'ailleurs il est mort à trente ans au cours de guerres garibaldiennes, et d'une façon mystérieuse. Le roman a paru après sa mort, sans qu'il ait eu le temps de le réviser. Un cas littéraire et historique passionnant.

Je pourrais encore citer Giovanni Verga. Mais surtout, peut-être, ce mouvement littéraire et artistique des années 1860-1880, d'une grande modernité, que nous appelons la Scapigliatura. Il est peu connu des Italiens eux-mêmes, alors que ses représentants étaient à la hauteur de ce qui se faisait à la même époque à Paris. Les « Scapigliati », ce sont les « échevelés », les « bohémiens ».

J.-C.C. : Nous avons en France le groupe des Hirsutes, que fondèrent quelques membres des Hydropathes, lesquels se retrouvaient notamment au Chat Noir, à la fin du XIXᵉ siècle. Mais je veux ajouter quelque chose à ce que vous disiez du XVIIIᵉ siècle. Entre la *Phèdre* de Racine et le Romantisme, en France, cent vingt ou cent trente années se passent sans qu'un seul poème soit écrit. Les versificateurs ont, bien entendu, pondu et publié des milliers de vers, des millions peut-être, mais aucun Français n'est capable de citer un seul de ces poèmes. Je vous mentionnerai Florian, qui est un fabuliste ordinaire, l'abbé Delille, Jean-Baptiste Rousseau, mais qui les a lus et surtout qui pourrait aujourd'hui les lire ? Qui peut lire encore les tragédies de Voltaire ? Très célébrées à l'époque, au point que l'auteur fut couronné de son vivant dans la salle de la Comédie-Française, elles nous tombent aujourd'hui des yeux. Parce que ces « poètes », ou qui se croyaient tels, se contentaient d'appliquer les règles du siècle précédent, édictées par Boileau. Jamais on a écrit autant de vers et jamais aussi peu de poèmes. Pas un seul en plus d'un siècle. Quand vous vous contentez d'appliquer les règles, toute surprise, tout éclat, toute inspiration s'évapore. C'est la leçon que j'essaie de faire passer, parfois, auprès des jeunes cinéastes. « Vous pouvez continuer à faire des films, c'est relativement facile, et oublier de faire du cinéma. »

U.E. : Dans ce cas précis, le filtrage a du bon. Il est préférable de ne pas se souvenir de ces « poètes » dont vous parlez.

J.-C.C. : Oui, ce fut un filtrage implacable et juste, cette fois. Tous au gouffre d'oubli. Il semble que le talent, que la nouveauté, l'audace, étaient passés du côté des philosophes, des prosateurs comme Laclos, Lesage ou Diderot et chez deux auteurs de théâtre, Marivaux et Beaumarchais. Avant que ne s'ouvre notre grand siècle du roman, le XIX.

U.E. : Tandis que la grande époque du roman anglais est déjà le XVIII siècle avec Samuel Richardson, Daniel Defoe... Les trois grandes civilisations du roman sont incontestablement la France, l'Angleterre et la Russie.

J.-C.C. : Il est toujours frappant de constater qu'une inspiration artistique peut soudain disparaître. Si vous prenez l'histoire de la poésie française, mettons de François Villon aux Surréalistes, vous citerez des écoles poétiques qui tour à tour ont régné sur les lettres, comme la Pléiade, les Classiques, les Romantiques, les Symbolistes, les Surréalistes, etc. Mais vous ne trouverez aucun vestige poétique, aucune inspiration nouvelle dans la période qui va de 1676, la date de *Phèdre,* à un auteur comme André Chénier.

U.E. : Silence de la poésie qui correspond à une des époques les plus glorieuses de la France.

J.-C.C. : Où le français était la langue diplomatique de toute l'Europe. Et je peux vous dire que j'ai cherché ! Même dans la littérature populaire, un peu partout. Rien à sauver.

U.E. : Les genres littéraires ou picturaux se créent par imitation et influence. Prenons un exemple. Un écrivain commence, le premier, à composer un bon roman historique qui connaît un certain succès : il se trouve immédiatement plagié. Si je découvre qu'en écrivant un roman d'amour il est possible de gagner de l'argent, je ne vais pas me priver d'essayer à mon tour. De la même façon que dans la latinité s'est formé le cénacle des poètes qui parlaient d'amour, comme Catulle, Properce. Le roman moderne, dit « bourgeois », naît en Angleterre dans des circonstances économiques bien particulières. Les auteurs vont écrire des romans pour les femmes des commerçants ou des marins, qui sont par définition toujours en voyage, des femmes qui savent lire et qui ont du temps pour ça. Mais également pour leurs femmes de chambre, les unes et les autres disposant de chandelles pour lire la nuit. Le roman bourgeois est né dans le contexte d'une économie marchande et s'adresse essentiellement à des femmes. Et lorsqu'on découvre que monsieur Richardson racontant l'histoire d'une femme de chambre gagne de l'argent, il y a aussitôt d'autres prétendants au trône qui se présentent.

J.-C.C. : Les courants créatifs sont souvent nés de petits groupes de gens qui se connaissaient et qui partageaient, au même moment, les mêmes désirs. Presque des copains. Tous les surréalistes que j'ai pu fréquenter m'ont dit qu'ils s'étaient sentis appelés vers Paris, peu de temps après la fin de la Première Guerre mondiale. Man Ray venait des Etats-Unis, Max Ernst d'Allemagne, Buñuel et Dalí d'Espagne, Benjamin Péret de Toulouse, pour rencontrer à Paris leurs semblables, ceux avec lesquels ils allaient inventer des images, des langages nouveaux. C'est le même phénomène avec la « Beat generation », la Nouvelle Vague, les cinéastes italiens qui se rassemblent à Rome, etc. Même avec les poètes iraniens du XIIᵉ et du XIIIᵉ siècle, qui surgissent au milieu de rien. J'ai envie de les citer, ces poètes admirables qui ont pour nom Attar, Roumi, Saadi, Hafez, Omar Khayyam. Tous se connaissaient et tous ont avoué ce que vous pointiez, c'est-à-dire l'influence décisive du prédécesseur. Puis soudain les conditions changent, l'inspiration se dessèche, les groupes se déchirent quelquefois, se dispersent toujours, et l'aventure tourne court. Dans le cas de l'Iran, les terribles invasions mongoles ont joué leur rôle.

U.E. : Je me souviens d'un beau livre d'Allan Chapman où on montrait comment à Oxford au XVIIᵉ siècle, autour de la Royal Society, il y avait eu un essor extraordinaire des sciences physiques à cause de la présence d'une série de savants de premier rang qui s'influençaient les uns les autres. Trente ans plus tard, c'était fini. Même expérience à Cambridge pour les mathématiques, au début du XXᵉ siècle.

J.-C.C. : En ce sens, le génie isolé paraît inconcevable. Les poètes de la Pléiade, Ronsard, du Bellay, Marot, sont des amis. Même chose pour les classiques français. Molière, Racine, Corneille, Boileau se connaissent tous, au point qu'on a pu raconter – non sans absurdité – que Corneille avait écrit les pièces de Molière. Les grands romanciers russes entretiennent une correspondance, et même avec leurs homologues en France : Tourgueniev et Flaubert, par exemple. Si un auteur veut éviter d'être victime d'un filtrage, il lui est conseillé de s'allier, d'adhérer à un groupe, de ne pas rester isolé.

U.E. : Le mystère Shakespeare vient du fait qu'on ne comprend pas comment un simple acteur a pu accoucher de cette œuvre géniale. On en arrive à imaginer que le théâtre de Shakespeare a pu être écrit par Francis Bacon. Mais non. Shakespeare n'était pas isolé. Il vivait au milieu d'une société savante, et parmi les autres poètes élisabéthains.

J.-C.C. : Maintenant, une question à laquelle je ne connais pas de réponse. Pourquoi une époque semble-t-elle élire un langage artistique à l'exclusion de tous les autres ? La peinture et l'architecture en Italie, à la Renaissance ; la poésie en Angleterre au XVIe siècle ; le théâtre en France au XVIIe siècle ; la philosophie ensuite ; le roman en Russie et en France au siècle suivant, etc. Je me suis toujours demandé, par exemple, ce qu'aurait pu faire Buñuel de sa vie si le cinéma n'avait pas existé. Je me souviens aussi des jugements définitifs de François Truffaut : « Il n'y a pas de cinéma anglais, il n'y a pas de théâtre français. » Comme si le théâtre était anglais et le cinéma français. Ce qui est évidemment trop abrupt.

U.E. : Vous avez raison de dire qu'il nous est impossible de résoudre pareille énigme. Cela nous amènerait à prendre en compte une infinité de facteurs. A peu près comme prévoir la position d'une balle de tennis dans l'océan, à un moment donné. Pourquoi pas de grande peinture en Angleterre au temps de Shakespeare, tandis qu'en Italie au temps de Dante il y avait Giotto et, à l'époque de l'Arioste, Raphaël? Comment naît l'Ecole française? Vous pouvez toujours expliquer que François Ier fait venir Vinci en France et que celui-ci semble ensemencer ce qui va devenir l'Ecole française. Mais qu'aurez-vous expliqué?

J.-C.C. : Je m'attarde un instant, non sans nostalgie, sur la naissance du grand cinéma italien. Pourquoi est-il apparu en Italie, et juste à la fin de la guerre? Influences de siècles de peinture venant à la rencontre d'une extraordinaire passion de jeunes cinéastes pour la vie d'un peuple? C'est vite dit. Nous pouvons analyser les circonstances, les vraies raisons nous échapperont toujours. Surtout si nous nous demandons : et pourquoi a-t-il si soudainement disparu?

Il m'est arrivé souvent de comparer Cinecittà à un grand atelier où travailleraient en même temps Titien, Véronèse, le Tintoret et tous leurs élèves.

Vous savez sans doute que lorsque le pape a fait venir Titien à Rome, on raconte que le cortège qui l'accompagnait était long de sept kilomètres. C'était comme un grand studio qui aurait déménagé. Mais cela suffit-il à expliquer la naissance du néoréalisme et de la comédie italienne ? Et l'apparition de Visconti, d'Antonioni, de Fellini ?

J.-P. de T. : *Est-il concevable d'imaginer une culture qui n'aurait enfanté aucune forme d'art ?*

U.E. : C'est très difficile à dire. On l'a cru de certaines régions du monde. Il a suffi souvent de s'y rendre et d'enquêter un peu pour découvrir qu'il existait là des traditions que nous étions les seuls à méconnaître.

J.-C.C. : Il faut aussi bien se rendre compte que dans les cultures traditionnelles anciennes, le culte des grands créateurs n'existe pas. D'immenses artistes ont pu s'y exprimer sans « signer » leurs œuvres. Et surtout sans se considérer, et sans être considérés, comme des artistes.

U.E. : Ils n'ont pas non plus la culture de l'innovation, qui est la marque de l'Occident. Il y a donc des cultures où l'ambition des « artistes » est de répéter très fidèlement le même motif décoratif et de transmettre ce savoir hérité de leurs pairs à leurs élèves. S'il existe des variations dans leur art,

106

vous ne les percevez pas. Lors d'un voyage en Australie, j'ai été particulièrement sensible à l'expérience de vie des aborigènes, pas ceux qui ont été aujourd'hui à peu près tous décimés par l'alcool et la civilisation, mais ceux qui ont vécu sur ces terres avant que les Occidentaux n'y débarquent. Or, que faisaient-ils ? Dans l'immense désert australien, nomades qu'ils étaient, ils poursuivaient leur exploration en tournant toujours en rond. Le soir ils capturaient un lézard, un serpent dont ils faisaient leur repas et au matin, ils repartaient. Si au lieu de tourner en rond, ils avaient un instant poursuivi en ligne droite, ils auraient gagné la mer où un festin les attendait. En tous les cas, aujourd'hui comme hier, leur art est fait de cercles qui nous évoquent une sorte de peinture abstraite, d'ailleurs fort belle. Un jour, lors de ce voyage, nous nous rendons dans une réserve où se trouve une église chrétienne avec son prêtre. Celui-ci nous montre une grande mosaïque, dans le fond du bâtiment, où naturellement on ne voit que des cercles. Le prêtre nous dit que ces cercles, selon les aborigènes, représentent la Passion du Christ, bien qu'il ne puisse expliquer pourquoi. Mon fils, alors adolescent et sans grande éducation religieuse, se rend compte que les cercles sont au nombre de quatorze. C'est évidemment les quatorze stations de la *Via Crucis*.

Le chemin de croix était rendu, par eux, comme une sorte de mouvement perpétuel et circulaire ponctué de quatorze stations. Ils ne pouvaient donc pas se dégager de leurs propres motifs, de leur imaginaire. Mais il y avait cependant, dans une tradition de répétition, une certaine innovation. Essayons de ne pas trop fantasmer. Je reviens au baroque. Nous avons expliqué l'absence de baroque en France en disant que la monarchie s'était constituée en pouvoir central très fort, pouvoir qui ne pouvait s'identifier qu'avec un certain classicisme. C'est sans doute pour les mêmes raisons que la période dont vous parlez, la fin du XVIIe et le XVIIIe siècle, n'a pas connu de véritable inspiration poétique. La grandeur de la France exigeait alors une manière de discipline antinomique avec la vie artistique.

J.-C.C. : Nous pourrions presque dire que la période du plus grand rayonnement de la France est celle où elle s'est privée de poésie. Où elle est restée presque sans émotion, presque sans voix. Au même moment l'Allemagne traversait la révolution du *Sturm und Drang*. Parfois je me demande s'il n'y a pas dans le pouvoir contemporain, que représentent des hommes comme Berlusconi et Sarkozy, qui se flattent en toute occasion de ne pas lire, une certaine nostalgie de ce temps-là, où les voix insolentes s'étaient tues, où le pouvoir n'était que prosaïque. Notre président paraît avoir une antipathie naturelle, par moments, pour *La Princesse de Clèves*. Homme pressé, il ne voit pas l'utilité de cette lecture et il y revient, avec une insistance troublante. Imaginons tous les auteurs que nous pourrions entasser, aux côtés de Madame de Lafayette, dans la grande fosse, dans le long silence des inutiles. A propos : vous avez échappé, en Italie, au Roi-Soleil.

U.E. : Nous avons connu plutôt des princes solaires qui, à la tête des cités, ont favorisé une créativité exceptionnelle, et ce jusqu'au XVIIᵉ siècle. Après ce n'est qu'un lent déclin. L'équivalent de votre Roi-Soleil était le pape. Ce n'est donc pas un hasard si, sous le règne des plus grands souverains pontifes, l'architecture et la peinture ont été particulièrement fécondes. Mais pas de littérature. La grande époque littéraire de l'Italie est celle où les poètes travaillent chez les seigneurs des petites villes comme Florence, Ferrare — et non pas à Rome.

J.-C.C. : Nous parlons toujours du filtrage, mais comment opérer lorsqu'il s'agit d'une époque par rapport à laquelle nous manquons de recul ? Imaginons qu'on me demande de présenter Aragon dans une histoire de la littérature française. Qu'est-ce que je vais raconter ? Aragon et Eluard, issus du surréalisme, ont écrit, plus tard, d'horribles hyperboles communisantes : « L'univers de Staline est toujours renaissant... » Eluard restera sans doute comme poète, Aragon peut-être comme romancier. Pourtant ce que je garde de lui, pour le moment, ce sont ses chansons, que Brassens et d'autres ont mises en musique. *Il n'y a pas d'amour heureux* ou *Est-ce ainsi que les hommes vivent?* J'aime encore beaucoup ces textes qui ont accompagné et fleuri ma jeunesse. Mais je me rends bien compte qu'il s'agit d'un simple épisode dans l'histoire de la littérature. Qu'en restera-t-il pour les générations nouvelles?

Autre exemple dans le cinéma. Lorsque j'ai fait mes classes, il y a cinquante ans, le cinéma avait environ cinquante ans. Nous avions alors de grands maîtres que nous apprenions à admirer et dont nous disséquions les œuvres. Un de ces maîtres était René Clair. Buñuel disait que trois metteurs en scène pouvaient faire ce qu'ils voulaient, je vous parle des années trente : Chaplin, Walt Disney et René Clair. Aujourd'hui, dans les écoles de cinéma, personne ne sait qui est René Clair. Il est passé, dirait le Père Ubu, à la trappe. C'est à peine si on se rappelle son nom. Même chose pour les « Allemands » des années trente qu'affectionnait particulièrement Buñuel : Georg Wilhelm Pabst, Fritz Lang et Murnau. Qui les connaît, qui les cite, qui les prend en exemple? Fritz Lang survit sans doute, au moins dans la mémoire des cinéphiles, à cause de *M le maudit*. Mais les autres? Le filtrage se fait donc de manière insensible, invisible, au sein même des écoles de cinéma, et ce sont les étudiants qui décident. Tout d'un coup, un de ces « filtrés » réapparaît parce qu'un de ses films a été diffusé ici ou là, et qu'il a étonné. Parce qu'un livre a été publié sur cet auteur. Mais c'est tellement rare. Il est donc possible de dire qu'au moment même où le cinéma commence à entrer dans l'histoire, il entre déjà dans l'oubli.

U.E. : Même chose pour l'entre-deux-siècles et les trois couronnes qui étaient en Italie D'Annunzio, Carducci et Pascoli. D'Annunzio a été le grand poète national jusqu'au fascisme. Après la guerre, on a redécouvert Pascoli comme l'avant-garde de la poésie du XXe siècle. Carducci était alors regardé comme un rhétoricien, et il a disparu. Mais il y a maintenant un mouvement en faveur de Carducci pour dire que, finalement, ce n'était pas mal du tout.

Les trois couronnes de la génération suivante ont été Giuseppe Ungaretti, Eugenio Montale et Umberto Saba. On s'interrogeait pour savoir lequel des trois méritait le Nobel et, en 1959, il est allé à Salvatore Quasimodo. Montale, qui est sans doute le plus grand poète du XXe siècle italien (et selon moi un des tout premiers poètes du XXe siècle en général) a reçu son Nobel seulement en 1975.

J.-C.C. : Pour ma génération, le premier cinéma du monde, pendant vingt-cinq ou trente ans, a été le cinéma italien. Nous attendions chaque mois la sortie de deux ou trois films italiens que nous ne voulions rater sous aucun prétexte. Ils faisaient

111

partie de notre vie, plus encore que de notre culture. Un triste jour, ce cinéma s'est desséché et vite éteint. La télévision italienne qui coproduisait les films, nous a-t-on dit, en est largement responsable. Mais ce cinéma a souffert aussi, très certainement, de ce phénomène mystérieux d'épuisement dont nous avons parlé. Tout d'un coup les forces vives manquent, les auteurs vieillissent, les acteurs aussi, les œuvres se répètent, quelque chose d'essentiel s'est perdu en route. Ce cinéma italien n'est plus, mais il a été l'un des plus grands.

Que reste-t-il de ces trente années qui nous ont fait rire et vibrer? Fellini m'enchante toujours. Antonioni me semble encore très respecté. Avez-vous vu *Le Regard de Michelangelo*, son dernier court-métrage? C'est un des plus beaux films du monde! Antonioni a tourné en 2000 ce film qui ne dure pas plus de quinze minutes, sans un mot, où il se met en scène lui-même, pour la seule fois de sa vie. On le voit entrer dans l'église Saint-Pierre-aux-Liens, à Rome, seul. Il s'approche lentement du tombeau de Jules II et tout le film est un dialogue, sans un mot prononcé, un va-et-vient de regards entre Antonioni et le *Moïse* de Michel-Ange. Tout ce que nous disons là, cette frénésie de paraître et de parler qui marque notre époque, cette agitation sans objet, est ici mis en question par le silence même et le regard du cinéaste. Il est venu dire adieu. Il ne reviendra plus, et il le sait. Il est venu rendre une dernière visite, lui qui s'en va, au chef-d'œuvre incompréhensible, qui restera. Comme pour l'interroger une dernière fois. Comme pour essayer de percer un mystère auquel les mots n'ont pas accès. Le regard qu'Antonioni lui jette en partant, avant de sortir, est pathétique.

U.E. : Il me semble que nous avons un peu trop oublié Antonioni, ces dernières années. Au contraire, Fellini n'a pas cessé de grandir depuis sa mort.

J.-C.C. : Il est sans doute celui que je préfère, même s'il n'est toujours pas à sa vraie place.

U.E. : Durant sa vie, à une époque d'extrême engagement politique, Fellini était perçu comme un rêveur qui n'était pas intéressé par la réalité sociale. La redécouverte de son cinéma après sa mort a permis de réévaluer son œuvre. J'ai revu récemment à la télévision *La Dolce Vita*. C'est un chef-d'œuvre immense.

J.-C.C. : Lorsqu'on parle de cinéma italien, beaucoup pensent d'abord à Pietro Germi, à Luigi Comencini, à Dino Risi, à la comédie italienne. J'ai un peu peur qu'on ne finisse par oublier ceux qui pour nous, à l'époque, étaient des demi-dieux. Un réalisateur comme Milos Forman eut envie de faire du cinéma en voyant dans son adolescence les films du néoréalisme italien, en particulier ceux de

113

Vittorio de Sica. Pour lui, il y avait le cinéma italien d'un côté, Chaplin de l'autre.

U.E. : Nous revenons à notre hypothèse. Lorsque l'Etat est trop puissant, la poésie se tait. Lorsque l'Etat est en crise totale, comme c'est le cas en Italie depuis l'après-guerre, alors l'art est libre de dire ce qu'il doit dire. La grande saison du néoréalisme se déploie quand l'Italie est en miettes. Nous n'étions pas encore entrés dans l'ère dite du miracle italien (c'est-à-dire la renaissance industrielle et commerciale des années 1950). *Rome ville ouverte* est de 1945, *Paisà* de 1947, *Le Voleur de bicyclette* de 1948. Venise au XVIIIe siècle était encore une grande puissance commerciale mais déjà en route vers son déclin. Pourtant elle a eu Tiepolo, Canaletto, Guardi, et Goldoni. Donc lorsque le pouvoir s'éclipse, certains arts se trouvent stimulés, d'autres non.

J.-C.C. : Durant l'époque où Napoléon exerce un pouvoir absolu, c'est-à-dire entre 1800 et 1814, il n'y a pas un seul livre publié en France qui se lise encore aujourd'hui. La peinture est pompeuse, bientôt pompière. David, qui était un grand peintre avant *Le Sacre*, devient tout à fait fade et plat. Il finira tristement en Belgique en peignant des mièvreries antiques. Pas de musique. Pas de théâtre. On rejoue les pièces de Corneille. Napoléon, quand il se rend au théâtre, va voir *Cinna*. Madame de

Staël est obligée de s'exiler. Chateaubriand est détesté par l'autorité. Son chef-d'œuvre, les *Mémoires d'outre-tombe,* qu'il commence à rédiger secrètement, ne sera publié que partiellement de son vivant, et beaucoup plus tard. Les romans qui ont fait sa gloire sont hélas, aujourd'hui, illisibles. Etrange cas de filtrage : ce qu'il écrivait pour ses nombreux lecteurs nous tombe des mains et ce qu'il écrivait en solitaire, pour lui-même, nous enchante.

U.E. : C'est l'histoire de Pétrarque. Il a passé sa vie en travaillant à sa grande œuvre en latin, *Africa,* convaincu qu'elle deviendrait la nouvelle *Enéide,* qu'elle lui apporterait la gloire. Il n'écrivait les sonnets qui l'ont à jamais rendu célèbre que lorsqu'il n'avait rien de mieux à faire.

J.-C.C. : La notion de filtrage dont nous débattons me fait naturellement penser à ces vins que nous filtrons avant de les boire. Il existe maintenant un vin qui présente cette qualité d'être « non filtré ». Il garde toutes ses impuretés qui parfois apportent des saveurs très particulières que le filtrage, par la suite, lui enlève. Peut-être avons-nous goûté à l'école à une littérature trop filtrée et manquant pour cette raison de saveurs impures.

Chaque livre publié aujourd'hui
est un post-incunable

J.-P. de T. : *Cet échange perdrait probablement de sa pertinence si nous ignorions que vous êtes non seulement des auteurs, mais aussi des bibliophiles, que vous avez consacré votre temps et votre argent à rassembler chez vous des livres fort rares et fort coûteux, et selon des logiques particulières que j'aimerais que vous nous révéliez.*

J.-C.C. : Au préalable, une histoire que m'a rapportée Peter Brook. Edward Gordon Craig, grand homme de théâtre, le Stanislavski du théâtre anglais, se trouve à Paris pendant la guerre 39-45 et ne sait que faire. Il a un petit appartement, un peu d'argent, il ne peut évidemment pas rentrer en Angleterre et, pour se désennuyer, il fréquente les bouquinistes des quais de Seine. Il y trouve et achète, par hasard, deux choses. La première c'est un répertoire des rues de Paris à l'époque du Directoire, avec la liste des gens qui habitent à tel ou tel numéro. La seconde est un carnet de tapissier de la même époque, d'un marchand de meubles, où celui-ci avait noté ses rendez-vous.

Craig mit côte à côte le répertoire et le carnet, et passa deux ans à établir les itinéraires précis du tapissier. Sur la base des informations fournies involontairement par l'artisan, il put reconstituer des histoires d'amour et même d'adultère sous le Directoire. Peter Brook, qui a bien connu Craig et qui a pu se rendre compte de la minutie de son enquête, me disait à quel point les histoires ainsi révélées étaient fascinantes. Si pour se rendre de tel endroit à tel autre, où l'attendait son client, il ne lui fallait qu'une heure et qu'il en avait pris en réalité le double, c'était probablement parce qu'il s'était arrêté en chemin. Mais pour quoi faire ?

Comme Craig, j'aime prendre possession d'un livre qui a appartenu à un autre avant moi. J'aime particulièrement la littérature populaire, voire grotesque et burlesque, française du début du XVIIe siècle, littérature qui, je l'ai dit, reste très déconsidérée. J'ai trouvé un jour un de ces livres qui avait été relié sous le Directoire, donc presque deux siècles plus tard, en plein maroquin, dignité considérable pour un livre aussi bon marché à l'époque. Il y a donc eu quelqu'un, sous le Directoire, qui a partagé le même goût que moi, à une époque où cette littérature n'intéressait strictement personne.

Je trouve pour ma part dans ces textes un rythme

118

vagabond, imprévisible, qui ne ressemble à rien, une joie, une insolence, tout un vocabulaire que le classicisme a banni. La langue française a été mutilée par des eunuques comme Boileau, qui filtraient en fonction d'une certaine idée de l' «art». Il a fallu attendre Victor Hugo pour retrouver un peu de cette richesse populaire confisquée.

J'ai aussi, autre exemple, un ouvrage de l'écrivain surréaliste René Crevel qui a appartenu à Jacques Rigaut, et dédicacé par celui-là à celui-ci. Or les deux hommes se sont tous les deux suicidés. Ce livre, et ce livre seul, crée pour moi une sorte de lien secret, fantomatique mais sanglant, entre deux hommes que leur mort, mystérieusement, rapproche.

U.E. : J'ai des livres qui ont pris une certaine valeur moins à cause de leur contenu ou de la rareté de l'édition qu'à cause des traces qu'y a laissées un inconnu, en soulignant le texte parfois de différentes couleurs, en écrivant des notes en marge... J'ai ainsi un vieux Paracelse dont chaque page ressemble à une dentelle, les interventions du lecteur paraissant comme brodées avec le texte imprimé. Je me dis toujours : d'accord, il ne faut pas souligner ou écrire dans les marges d'un livre ancien et précieux. En même temps, songeons à ce que serait l'exemplaire d'un livre ancien avec des notes de la main de James Joyce... Là, mes préventions s'arrêtent !

J.-C.C. : Certains prétendent qu'il y a deux sortes de livres. Le livre que l'auteur écrit et celui dont le lecteur prend possession. Pour moi, le personnage intéressant est aussi celui qui le possède. C'est ce qu'on appelle la « provenance ». Tel livre « a appartenu à Untel ». Si vous possédez un livre qui provient de la bibliothèque personnelle de Mazarin, vous possédez un morceau de roi. Les grands relieurs parisiens du XIXᵉ siècle n'acceptaient pas de relier n'importe quel livre. Le simple fait qu'un livre soit relié par Marius Michel ou Trautz-Bauzonnet est la preuve, aujourd'hui encore, qu'il avait à leurs yeux une certaine valeur. C'est un peu ce que j'ai raconté à propos de ce relieur iranien, qui prenait soin de lire et de rédiger un résumé. Et attention : si vous vouliez faire relier votre ouvrage par Trautz-Bauzonnet, il fallait attendre parfois cinq ans.

U.E. : Je possède un incunable du *Malleus Maleficarum*, ce grand et néfaste manuel pour les inquisiteurs et chasseurs de sorcières, relié par un « Moïse Cornu », autrement dit un Juif qui ne travaillait que pour les bibliothèques cisterciennes et qui signait chaque reliure (ce qui est particulièrement rare à cette époque, c'est-à-dire la fin du XVᵉ siècle) par l'image justement d'un Moïse avec des cornes. Il y a là toute une histoire.

J.-C.C. : A travers l'histoire du livre, vous l'avez bien montré avec *Le Nom de la rose,* on peut reconstituer l'histoire de la civilisation. Avec les religions du Livre, le livre a servi non seulement de contenant, de réceptacle, mais aussi de « grand angle » à partir duquel on pouvait tout observer et tout raconter, peut-être même tout décider. Il était point d'arrivée et point de départ, il était le spectacle du monde, et même de la fin du monde. Mais je reviens un instant à l'Iran et au pays de Mani, le fondateur du manichéisme, un hérétique chrétien que les mazdéens considèrent comme un des leurs. Le grand reproche que Mani faisait à Jésus était, précisément, de ne pas avoir écrit.

U.E. : Sur le sable, une fois.

J.-C.C. : Ah! Si Jésus avait écrit, disait-il, au lieu de laisser ce soin à d'autres! Quel prestige, quelle autorité, quelle parole indiscutable! Mais bon. Il préférait parler. Le livre n'était pas encore ce que nous appelons le livre et Jésus n'était pas Virgile. A propos justement des ancêtres du livre, des *volumina* romains, je reviens un instant à cette question de l'adaptation que réclament les progrès croissants des techniques. Il y a là encore un paradoxe. Quand nous faisons défiler un texte sur notre écran, ne retrouve-t-on pas quelque chose de ce que les lecteurs de *volumina*, de rouleaux, pratiquaient autrefois, autrement dit, la nécessité de dérouler un texte enroulé autour d'un support en bois, comme on en voit encore dans certains vieux cafés de Vienne ?

U.E. : Sauf que le déroulement n'est pas vertical, comme sur nos ordinateurs, mais latéral. Il suffit de se souvenir des Evangiles synoptiques, présentés en colonnes juxtaposées et qu'on lisait de gauche à droite en déroulant le rouleau. Et comme les rouleaux étaient lourds, on devait les poser peut-être sur une table.

J.-C.C. : Ou alors on confiait à deux esclaves le soin de les dérouler.

U.E. : Sans oublier que la lecture, jusqu'à saint Ambroise, se faisait à haute voix. C'est lui le premier qui commence à lire sans prononcer les mots. Ce qui avait plongé saint Augustin dans des abîmes de perplexité. Pourquoi à haute voix? Si vous recevez une lettre écrite à la main, et très mal, vous êtes parfois obligé de vous aider en la lisant à haute voix. Je pratique souvent la lecture à haute voix lorsque je reçois des lettres de correspondants français, les derniers au monde à écrire encore à la main.

J.-C.C. : Nous sommes réellement les derniers?

U.E. : Oui. C'est là l'héritage d'une certaine éducation, je n'en disconviens pas. C'était le conseil qu'on nous donnait d'ailleurs aussi autrefois. Une lettre tapée à la machine pouvait s'apparenter à une correspondance commerciale. Dans les autres pays, il est admis que pour être lu et compris, il est préférable d'écrire des lettres faciles à lire, et que l'ordinateur est alors notre meilleur allié. Les Français, non. Les Français continuent à vous envoyer des lettres manuscrites que vous êtes désormais incapable de déchiffrer. Au-delà du cas rarissime de la France, partout ailleurs on a perdu non seulement l'habitude d'écrire des lettres à la main, mais aussi de les lire. Le typographe d'autrefois était, lui, capable de déchiffrer toutes les calligraphies du monde.

J.-C.C. : Une chose demeure écrite à la main – mais pas toujours –, c'est l'ordonnance du médecin.

U.E. : La société a inventé les pharmaciens pour les déchiffrer.

J.-C.C. : Si la correspondance manuscrite se perd, ce sont des professions entières qui vont disparaître. Graphologues, écrivains publics, collectionneurs et marchands d'autographes... Ce qui me manque, avec l'usage de l'ordinateur, ce sont les brouillons. Surtout pour les scènes dialoguées. Il me manque ces ratures, ces mots jetés en marge, ce premier désordre, ces flèches qui partent dans tous les sens et qui sont une marque de vie, de mouvement, de recherche encore confuse. Et autre chose : la vision d'ensemble. Lorsque j'écris une scène pour le cinéma, et que j'ai besoin de six pages pour la raconter, j'aime avoir ces six pages écrites devant moi pour en apprécier le rythme, pour y déceler à l'œil d'éventuelles longueurs. L'ordinateur ne me le permet pas. Je dois imprimer les pages et les disposer devant moi. Qu'est-ce que vous écrivez encore à la main ?

U.E. : Mes notes pour ma secrétaire. Mais pas seulement. Je débute toujours un nouveau livre par des notes écrites. Je fais des croquis, des diagrammes qui ne sont pas faciles à réaliser avec l'ordinateur.

J.-C.C. : Cette question des brouillons m'évoque soudain une visite de Borges, en 1976 ou 1977. Je venais d'acheter ma maison à Paris, et elle se trouvait en travaux, en grand désordre. J'étais allé chercher Borges à son hôtel. Nous arrivons, nous traversons la cour, il est à mon bras puisqu'il ne voit presque pas, nous montons l'escalier et, sans me rendre compte de ma méprise, je crois bon de m'excuser du fouillis qu'il n'avait évidemment pas pu voir. Il me répond : « Oui, je comprends. C'est un brouillon. » Tout, même une maison en travaux, se ramenait chez lui à la littérature.

U.E. : A propos de brouillons, je voudrais évoquer un phénomène très évocateur lié aux changements culturels induits par les nouvelles techniques.

Nous utilisons l'ordinateur mais nous imprimons comme des fous. Pour un texte de dix pages, j'imprime cinquante fois. Je vais tuer une douzaine d'arbres alors que je n'en tuais peut-être que dix avant l'entrée de l'ordinateur dans ma vie.

Le philologue italien Gianfranco Contini pratiquait ce qu'il appelait la « critique des *scartafacci* », c'est-à-dire l'étude des différentes phases par lesquelles l'œuvre est passée avant d'atteindre à sa forme définitive. Comment allions-nous donc poursuivre cette étude des variantes avec l'ordinateur ? Eh bien, contre toute attente, l'ordinateur ne supprime pas les étapes intermédiaires, il les multiplie. Lorsque j'écrivais *Le Nom de la rose,* c'est-à-dire à une période où je ne pouvais pas disposer d'un traitement de texte, je donnais à quelqu'un le soin de retaper le manuscrit sur lequel j'avais retravaillé. Après quoi je corrigeais la nouvelle version et je la donnais de nouveau à retaper. Mais on ne pouvait pas continuer à l'infini. A un moment donné, j'étais obligé de considérer la version que j'avais dans mes mains comme la définitive. Je n'en pouvais plus.

Avec l'ordinateur, au contraire, j'imprime, je corrige, j'intègre mes corrections, j'imprime à nouveau et ainsi de suite. C'est-à-dire que je multiplie les brouillons. On peut avoir ainsi deux cents versions d'un même texte. Vous donnez au philologue un surcroît de travail. Et ce ne sera pourtant pas la série complète. Pourquoi ? Il existera toujours

125

une « version fantôme ». J'écris un texte A sur l'ordinateur. Je l'imprime. Je corrige. Voilà un texte B et je vais intégrer les corrections sur l'ordinateur : après quoi j'imprime de nouveau et je crois avoir dans mes mains un texte C (c'est ce que croiront les philologues du futur). Mais il s'agit en réalité d'un texte D, parce que, au moment de reporter les corrections sur l'ordinateur, j'aurais certainement pris des libertés et modifié davantage encore. Donc entre B et D, entre le texte que j'ai corrigé et la version qui, sur l'ordinateur, aura intégré ces corrections, il y a une version fantôme qui est la véritable version C. Même chose pour les corrections successives. Les philologues auront donc à reconstruire autant de versions fantômes qu'il y a eu d'aller-retour de l'écran au papier.

J.-C.C. : Une école d'écrivains américains, il y a quinze ans, s'est opposée à l'ordinateur sous le prétexte que les différents états du texte apparaissaient à l'écran déjà imprimés, parés d'une vraie dignité. Aussi paraissait-il difficile de les critiquer, de les corriger. L'écran leur donnait l'autorité, le prestige d'un texte déjà presque édité. Une autre école, au contraire, considère que l'ordinateur offre, comme vous le dites, la possibilité de corrections et d'améliorations à l'infini.

U.E. : Mais bien entendu, puisque le texte que nous voyons à l'écran est déjà le texte d'un autre.

Vous allez donc pouvoir exercer toute votre férocité critique contre lui.

J.-P. de T. : *Vous avez parlé, Jean-Claude, du livre avant le livre, avant même le codex, c'est-à-dire des rouleaux de papyrus, des* volumina. *C'est sans doute la partie de l'histoire du livre qui nous est la moins familière.*

U.E. : A Rome, par exemple, il existait, à côté des bibliothèques, des boutiques où des livres étaient vendus sous forme de rouleaux. Un amateur allait chez le libraire pour lui commander, disons, un exemplaire de Virgile. Le libraire lui demandait de repasser dans quinze jours et le livre était copié spécialement pour lui. Peut-être avait-on en stock certains exemplaires pour les ouvrages les plus demandés. Nous avons des idées très imprécises sur l'achat des livres, et même après l'invention de l'imprimerie. Les premiers livres imprimés n'étaient d'ailleurs pas achetés reliés. Il fallait acheter des feuilles qu'il s'agissait ensuite de faire relier. Et la variété des reliures des ouvrages que nous collectionnons est une des raisons qui expliquent le bonheur que nous pouvons tirer de la bibliophilie. Cette reliure peut faire une différence considérable entre deux exemplaires du même livre, aussi bien pour l'amateur que pour l'antiquaire. C'est entre les XVIIe et XVIIIe siècles, je crois, qu'apparaissent les premiers ouvrages vendus déjà reliés.

J.-C.C. : C'est ce qu'on appelle les « reliures de l'éditeur ».

U.E. : Ce sont ceux qu'on peut voir dans les bibliothèques des nouveaux riches, achetés au mètre chez les bouquinistes par l'architecte d'intérieur. Mais il y avait aussi une autre façon de personnaliser les livres imprimés : c'était de laisser les grandes initiales non imprimées sur chaque page pour permettre aux enlumineurs de faire croire au possesseur qu'il détenait en réalité un manuscrit unique. Tout ce travail, évidemment, était fait à la main. Même chose si le livre comportait des gravures : chacune était rehaussée de couleurs.

J.-C.C. : Il faut aussi préciser que les livres étaient très chers et que seuls les rois, les princes, les riches banquiers pouvaient en faire l'acquisition. Le prix de ce petit incunable que j'ai pris dans ma bibliothèque était, au moment où il a été fabriqué, plus élevé sans doute qu'il ne l'est aujourd'hui. Rendons-nous compte du nombre de petits veaux qu'il faut tuer pour pouvoir réaliser ce type d'ouvrage, où toutes les pages sont imprimées sur peau de vélin, c'est-à-dire de veau mort-né. Régis Debray s'est demandé ce qui se serait passé si les Romains et les Grecs avaient été végétariens. Nous n'aurions aucun des livres que l'Antiquité nous a légués sur parchemin, c'est-à-dire sur une peau d'animal tannée et résistante.

128

Livres très chers, donc, mais à côté desquels existaient, et ce dès le XVᵉ siècle, les livres de colportage, non reliés, utilisant du mauvais papier et vendus pour quelques sols. Ceux-ci voyageaient, dans les hottes des colporteurs, à travers toute l'Europe. De la même manière que certains érudits traversaient la Manche et les Alpes pour se rendre dans un monastère italien où se trouvait un ouvrage particulièrement rare et dont ils avaient le plus urgent besoin.

U.E. : On connaît la belle histoire de Gerbert d'Aurillac, le pape de l'an mil, Sylvestre II. Il apprend qu'une copie de la *Pharsale* de Lucain se trouve en la possession d'un certain personnage prêt à s'en séparer. Il promet en échange une sphère armillaire (un astrolabe sphérique) en cuir. Il reçoit le manuscrit et découvre qu'il manque les deux derniers chants. Il ignorait que Lucain s'était suicidé avant de les écrire. Alors, pour se venger, il n'envoie que la moitié de la sphère. Ce Gerbert était un savant et un érudit mais également un collectionneur. L'an mil est présenté souvent comme une période néandertalienne. Ce n'est évidemment pas le cas. Nous en avons ici une preuve.

J.-C.C. : De même il est inexact d'imaginer un continent africain sans livres, comme si les livres avaient été la marque distinctive de notre civilisation. La bibliothèque de Tombouctou s'est enrichie tout au long de son histoire des ouvrages que les étudiants, qui venaient rencontrer dès le Moyen Age les sages noirs du Mali, apportaient avec eux comme monnaie d'échange et qu'ils laissaient sur place.

U.E. : J'ai visité cette bibliothèque. Un de mes rêves a toujours été d'aller à Tombouctou avant de mourir. A ce propos j'ai une histoire qui apparemment n'a rien à voir avec notre sujet, mais qui nous dit quelque chose sur le pouvoir des livres. C'est en allant au Mali qu'il m'a été donné de découvrir le pays des Dogons, dont la cosmologie avait été décrite par Marcel Griaule dans son célèbre *Dieu d'eau*. Or les persifleurs disent que Griaule avait beaucoup inventé. Mais si vous allez maintenant interroger un vieux Dogon sur sa religion, il vous raconte exactement ce que Griaule a écrit – c'est-à-dire que ce que Griaule a écrit est devenu la mémoire historique des Dogons... Lorsque vous arrivez là-bas (ou mieux là-haut, au sommet d'une falaise extraordinaire), vous vous trouvez encerclé par des enfants qui vous demandent toutes sortes de choses.

J'ai interpellé un de ces enfants pour lui demander s'il était musulman. « Non, a-t-il répondu, je suis animiste. » Or, pour qu'un animiste puisse dire qu'il est animiste, il doit avoir fait quatre ans à l'Ecole Pratique des Hautes Etudes parce que, tout

130

simplement, un animiste ne peut pas savoir qu'il l'est, comme l'homme de Néandertal ne savait pas qu'il était un homme de Néandertal. Voilà une culture orale désormais déterminée par des livres.

Mais revenons aux livres anciens. Nous expliquons que les livres imprimés circulaient davantage dans les milieux cultivés. Mais ils circulaient certainement bien davantage que les manuscrits, c'est-à-dire les codices qui les ont précédés, et donc l'invention de l'imprimerie représente sans aucun doute une véritable révolution démocratique. On ne peut concevoir la Réforme protestante et la diffusion de la Bible sans le secours de l'imprimerie. Au XVI\ :sup siècle, l'imprimeur vénitien Aldo Manuce aura même la grande idée de faire le livre de poche, beaucoup plus facile à transporter. On n'a jamais inventé de moyen plus efficace de transporter l'information, que je sache. Même l'ordinateur avec tous ses gigas doit être branché. Pas ce problème avec le livre. Je le répète. Le livre est comme la roue. Lorsque vous l'avez inventé, vous ne pouvez pas aller plus loin.

J.-C.C. : A propos de roue, c'est une des grandes énigmes que doivent résoudre les spécialistes des civilisations précolombiennes. Comment expliquer qu'aucune d'elles n'ait inventé la roue ?

U.E. : Peut-être parce que la plupart de ces civilisations étaient si haut perchées que la roue n'aurait pas pu concurrencer le lama.

J.-C.C. : Mais il y a de grandes étendues de plaines au Mexique. C'est une énigme bizarre, puisqu'ils n'avaient pas ignoré la roue pour confectionner certains jouets.

U.E. : Vous savez que Héron d'Alexandrie, au Ier siècle avant J.-C., est le père d'une quantité d'inventions incroyables mais qui sont demeurées précisément à l'état de jouets.

J.-C.C. : On raconte même qu'il avait inventé un temple dont les portes s'ouvraient automatiquement, comme celles de nos garages, aujourd'hui. Cela pour donner plus de prestige aux dieux.

U.E. : Seulement, il était plus facile de faire exécuter certains travaux par les esclaves que de réaliser ces inventions.

J.-C.C. : Mexico étant à quatre cents kilomètres de chaque océan, il existait des relais de coureurs qui apportaient le poisson frais sur la table de l'empereur en moins d'une journée. Chacun d'eux courait à toute vitesse pendant quatre ou cinq cents mètres, puis transmettait sa charge. Cela confirme votre hypothèse.

Je reviens à la diffusion des livres. A cette roue du savoir qui est parfaite, comme vous dites. Il faut se souvenir que le XVIe et déjà le XVe siècle sont en Europe des époques particulièrement troublées, où ceux que nous appellerions les intellectuels conservent des relations épistolaires fréquentes. Ils s'écrivent en latin. Et le livre, en ces temps difficiles, est un objet qui circule partout, aisément. Il est un des outils de la sauvegarde. De même, à la fin de l'Empire romain, certains intellectuels se retirent dans des couvents pour copier tout ce qu'on peut sauver d'une civilisation qui s'écroule, ils le sentent. Pratiquement, cela se passe à toutes les époques où la culture est en danger.

Dommage que le cinéma n'ait pas connu ce principe de sauvegarde. Connaissez-vous ce livre publié aux Etats-Unis joliment intitulé *Photographies de films perdus*? Ne restent de ces films que quelques images à partir desquelles nous devons essayer de reconstituer le film lui-même. C'est un peu l'histoire de notre relieur iranien.

Mais il y a plus. La novélisation de films, c'est-à-dire le livre illustré tiré d'un film, est un procédé déjà ancien. Il remonte aux temps du cinéma muet. Or nous avons gardé certains de ces livres, tirés de films, alors que les films eux-mêmes ont disparu. Le livre a survécu au film qui l'a inspiré. Il existe ainsi, déjà, une archéologie du cinéma. Enfin, une question que je vous pose et pour laquelle je n'ai pas trouvé de réponse : pouvait-on entrer à la bibliothèque d'Alexandrie comme on entre à la Bibliothèque nationale, s'asseoir et lire un livre ?

U.E. : Je ne le sais pas non plus et je me demande si nous le savons. Nous devons nous demander d'abord combien de personnes savaient lire. Nous ne savons pas non plus combien de volumes possédait la bibliothèque d'Alexandrie. Nous sommes mieux renseignés sur les bibliothèques médiévales, et c'est toujours beaucoup moins que ce que nous pensons.

J.-C.C. : Parlez-moi de votre collection. Combien avez-vous d'incunables proprement dits ?

J.-P. de T. : *Vous avez fait déjà référence plusieurs fois aux « incunables ». Nous avons compris de quoi il s'agissait, de livres anciens. Mais peut-on être plus précis ?*

U.E. : Un journaliste italien, homme très cultivé d'ailleurs, avait écrit un jour à propos d'une bibliothèque en Italie qu'il s'y trouvait des incunables du XIIIᵉ siècle! On croit souvent qu'un incunable est un manuscrit enluminé...

J.-C.C. : Sont dits « incunables » tous les livres imprimés à partir de l'invention de l'imprimerie et jusqu'à la nuit du 31 décembre 1500. « Incunable », du latin *incunabula*, représente le « berceau » de l'histoire du livre imprimé, autrement dit tous les livres imprimés au XVᵉ siècle. Il est admis que la date

la plus probable d'impression de la Bible à qua-
rante-deux lignes de Gutenberg (qui a l'incon-
vénient de ne comporter aucune date au colophon,
c'est-à-dire dans la note informative qui se trouvait
dans les dernières pages des livres anciens) est 1452-
1455. Les années suivantes constituent ce
« berceau », période qu'il est convenu de clore au
dernier jour de l'année 1500, l'année 1500 appartenant encore au XVe siècle. De la même façon que
l'année 2000 fait encore partie du XXe siècle. Voilà
pourquoi, entre parenthèses, il était parfaitement
inadéquat de fêter le début du XXIe siècle le 31
décembre 1999. Nous aurions dû le fêter le 31
décembre 2000, à la vraie fin du siècle. Nous avions
parlé de ces questions lors de notre précédente
rencontre[1].

U.E. : Il suffit de compter sur ses doigts, non ? 10
fait partie de la première décade. Donc 100 fait
partie de la centaine. Il faut parvenir au 31 décembre de l'année 1500 – quinze fois 100 – pour
entamer une nouvelle centaine. Avoir fixé cette date
arbitrairement est un acte de pur snobisme, car rien
ne différencie un livre imprimé en 1499 d'un livre
imprimé en 1502. Pour bien vendre un livre qui
malheureusement n'a été imprimé qu'en 1501, les
antiquaires l'appellent fort adroitement « post-incu-

---

1 *Entretiens sur la fin des temps,* avec Jean-Claude Carrière, Jean
Delumeau, Umberto Eco, Stephen Jay Gould, réalisés par Catherine
David, Frédéric Lenoir et Jean-Philippe de Tonnac, Pocket, 1999.

nable ». Dans ce sens-là, même ce livre-ci, celui qui sortira de nos entretiens, sera un post-incunable.

Maintenant, pour répondre à votre question, je ne possède qu'une trentaine d'incunables, mais j'ai certainement les « incontournables » (comme on aime dire aujourd'hui), comme par exemple l'*Hypnerotomachia Poliphili*, la *Chronique de Nuremberg*, les livres hermétiques traduits par Ficin, l'*Arbor vitae crucifixae* d'Ubertino Da Casale, qui est devenu un des personnages de mon *Nom de la rose*, et ainsi de suite. Ma collection est très orientée. Il s'agit d'une *Bibliotheca Semiologica Curiosa Lunatica Magica et Pneumatica*, autrement dit d'une collection consacrée aux sciences occultes et aux sciences fausses. J'ai Ptolémée, qui se trompait sur le mouvement de la Terre, mais je n'ai pas Galilée, qui avait raison.

J.-C.C. : Alors vous possédez forcément les œuvres d'Athanasius Kircher, esprit encyclopédiste comme vous les aimez et sans doute promoteur de pas mal d'idées fausses...

U.E. : J'ai toutes ses œuvres sauf la première, l'*Ars magnesia*, qu'on ne trouve pas en circulation bien qu'il s'agisse d'un petit livre sans images. Probablement n'en avait-on imprimé que très peu d'exemplaires à l'époque où Kircher n'était pas encore connu. Ce bouquin était tellement dépourvu de charme que personne n'a vraiment songé à le

136

conserver avec soin. Mais j'ai aussi les œuvres de Robert Fludd et d'un certain nombre d'autres esprits lunatiques.

J.-P. de T. : *Pouvez-vous dire un mot sur ce Kircher ?*

J.-C.C. : C'est un jésuite allemand du XVIIe siècle qui a beaucoup vécu à Rome. Il est l'auteur de trente livres qui concernent aussi bien les mathématiques, l'astronomie, la musique, l'acoustique, l'archéologie, la médecine, la Chine, le Latium, la vulcanologie et j'en passe. Il a été parfois regardé comme le père de l'égyptologie, même si sa compréhension des hiéroglyphes assimilés à des symboles était entièrement erronée.

U.E. : Il n'empêche que Champollion n'aurait pas pu entreprendre son travail sans s'appuyer, non seulement sur la stèle de Rosette, mais également sur les reproductions publiées par Kircher. J'avais fait mon cours au Collège de France en 1992 sur la recherche d'une langue parfaite, et consacré une de mes classes à Athanasius Kircher et à son interprétation des hiéroglyphes. Ce jour-là, l'appariteur me dit : « Monsieur le Professeur, faites attention. Tous les égyptologues de la Sorbonne sont dans la salle, assis au premier rang. » Je me suis dit que j'étais perdu. J'ai fait attention, je ne me suis pas prononcé sur les hiéroglyphes, mais seulement sur les positions de Kircher. Je me suis alors rendu compte que les égyptologues ne s'étaient jamais occupé de Kircher (dont ils avaient entendu parler seulement comme d'un fou) ; ils se sont beaucoup amusés. Ce fut l'occasion de faire la connaissance de l'égyptologue Jean Yoyotte, qui m'a transmis une bibliographie précieuse sur la question de la perte et de la redécouverte de la clé des hiéroglyphes. L'exemple de la disparition d'une langue comme celle des anciens Egyptiens nous intéresse, évidemment, au moment où nous sentons poindre de nouveaux dangers sur l'héritage de la culture universelle.

J.-C.C. : Kircher est aussi le premier à publier une sorte d'encyclopédie sur la Chine, *China monumentis illustrata*.

U.E. : Il a été le premier à s'apercevoir que les idéogrammes chinois avaient une origine iconique.

J.-C.C. : Sans oublier son admirable *Ars magna lucis et umbrae*, où se trouve la première représentation d'un œil qui regarde des images mobiles à travers un plateau tournant, ce qui fait de lui l'inventeur théorique du cinéma. On dit d'ailleurs qu'il avait introduit en Europe l'usage de la lanterne magique. Il aura donc touché à tous les domaines de la connaissance de son temps. On pourrait dire de Kircher qu'il est une sorte d'Internet avant la lettre, c'est-à-dire qu'il savait tout ce que l'on pouvait savoir, et dans ce savoir il y avait 50 % d'exactitude et 50 % de fausseté, ou de fantaisie. Proportion qui est à rapprocher, peut-être, de ce que nous pouvons consulter sur nos écrans. En ajoutant tout de même, et c'est aussi pour cela que nous l'aimons, qu'il avait imaginé un orchestre de chats (il suffisait de tirer sur leurs queues) et une machine à nettoyer les volcans. Il se faisait descendre dans une grande corbeille au milieu des fumées du Vésuve, soutenu par une armée de petits jésuites.

Mais Kircher est recherché par les collectionneurs, avant tout, parce que ses ouvrages sont d'une exceptionnelle beauté. Je crois que nous sommes tous les deux des amateurs de Kircher, tout au moins de ses ouvrages si magnifiquement édités. Il ne m'en manque qu'un seul, mais sans doute un des plus importants, l'*Œdipus aegyptiacus*. Il est considéré comme un des plus beaux livres du monde.

U.E. : Pour moi le plus curieux c'est l'*Arca Noe*, avec la planche plusieurs fois repliée de la coupe de l'Arche avec tous les animaux, y compris les serpents qui se cachent dans le fond de la cale.

J.-C.C. : Et la magnifique planche du déluge. Sans oublier le *Turris Babel*. Il y montre, à partir de savants calculs, que la tour de Babel n'a pas pu être

139

achevée parce que, si par malheur elle l'avait été, elle aurait fait pivoter la Terre sur son axe, du fait de sa hauteur et de son poids.

U.E. : Vous voyez l'image de la Terre qui a pivoté et la tour qui sort sur un côté, à l'horizontale, comme s'il s'agissait de son membre viril. Génial ! J'ai aussi les œuvres de Gaspar Schott, un disciple de Kircher, autre jésuite allemand, mais je ne vais pas faire étalage de mes possessions. La question que nous pouvons nous poser est celle des motivations qui guident le collectionneur vers tel ou tel objet de bibliophilie. Pourquoi collectionnons-nous tous les deux les œuvres de Kircher ? Il y a plusieurs considérations qui entrent en compte dans le choix d'un ouvrage ancien. Il peut y avoir le pur amour pour l'objet livre. Il existe des collectionneurs qui, possédant un ouvrage du XIXe siècle avec des pages non coupées, ne les couperont pour rien au monde. Il s'agit de protéger l'objet pour l'objet, de le garder intact, vierge. Il existe aussi des collectionneurs qui ne s'intéressent qu'aux reliures. Ils n'ont pas le souci du contenu des ouvrages possédés. Il y a ceux qui s'intéressent aux éditeurs et qui chercheront à mettre la main sur les ouvrages imprimés par Manuce, par exemple. Certains ne se passionnent que pour un titre. Ils voudront posséder toutes les éditions de *La Divine Comédie*. D'autres se limiteront à un seul domaine : la littérature française du XVIIIe siècle. Il y aura aussi ceux qui constituent leur bibliothèque autour d'un seul sujet. C'est mon cas : je collectionne, comme je l'ai dit, tout ce qui a trait à la science fausse, farfelue, occulte, ainsi qu'aux langues imaginaires.

J.-C.C. : Vous pouvez justifier ce choix étonnant ?

U.E. : Je suis fasciné par l'erreur, par la mauvaise foi et la stupidité. Je suis très flaubertien. Comme vous, j'adore la bêtise. J'ai décrit dans *La Guerre du faux* mes visites aux musées américains de reproductions d'œuvres d'art (y compris une Vénus de Milo en cire, avec ses bras). Dans *Les Limites de l'interprétation,* j'ai élaboré une théorie du faux et des faussaires. Et enfin, parmi mes romans, *Le Pendule de Foucault* est inspiré par les occultistes qui croient à tout avec fanatisme. Quant à *Baudolino,* le personnage central en est un faussaire génial, et après tout bienfaisant.

J.-C.C. : Sans doute aussi parce que le faux est le seul chemin possible vers le vrai.

U.E. : Le faux questionne toute tentative de fonder une théorie de la vérité. S'il est possible de le comparer à l'œuvre authentique qui l'a inspiré, il existe alors un moyen de savoir s'il s'agit ou non d'un faux. Il est plus difficile de démontrer qu'une œuvre authentique est authentique.

141

J.-C.C. : Je ne suis pas un vrai collectionneur. Toute ma vie j'ai acheté des livres simplement parce qu'ils me plaisaient. Par-dessus tout j'aime, dans une bibliothèque, le disparate, le voisinage d'objets divers, qui même s'opposent, se battent.

U.E. : Mon voisin à Milan collectionne seulement les livres qu'il trouve beaux, comme vous. Ainsi il peut avoir un Vitruve, un incunable de *La Divine Comédie* et un beau livre d'artiste contemporain. Ce n'est absolument pas mon cas. J'ai parlé de ma passion pour Kircher. Pour pouvoir posséder tous ses livres, pour obtenir par exemple cet *Ars magnesia* qui sûrement est le moins beau de la collection, je suis prêt à payer une fortune. A propos de mon voisin, il se trouve qu'il possède, tout comme moi, un exemplaire de l'*Hypnerotomachia Poliphili*, ou *Songe de Poliphile*, peut-être le plus beau livre du monde. Nous rigolons parce qu'en face de notre immeuble, dans le Castello Sforzesco, il y a une célèbre bibliothèque, la Trivulziana, qui possède un troisième exemplaire de l'*Hypnerotomachia*, ce qui doit représenter sans aucun doute la plus grande concentration au monde d'*Hypnerotomachia* dans un rayon de cinquante mètres ! Je parle bien entendu de la première édition incunable, celle de 1499, et non des éditions postérieures.

J.-C.C. : Vous continuez à enrichir votre collection ?

U.E. : Autrefois je courais partout pour dégoter des pièces curieuses. Je me limite maintenant à quelques déplacements. Je vise la qualité. Ou bien je cherche à combler les vides dans l'*opera omnia* d'un auteur. Comme c'est le cas pour Kircher.

J.-C.C. : L'obsession du collectionneur est souvent de mettre la main sur un objet rare, et pas tellement de le conserver. Je connais une anecdote étonnante à ce sujet. Il existait deux exemplaires du livre fondateur de la littérature brésilienne, *Guarani,* un roman édité à Rio vers 1840. L'un était dans un musée tandis que l'autre rôdait quelque part. Mon ami José Mindlin, ce grand collectionneur brésilien, apprend que le livre est en la possession d'une personne, à Paris, disposée à le vendre. Il prend un billet d'avion São Paulo-Paris et une chambre au Ritz pour aller à la rencontre de l'amateur d'Europe centrale propriétaire de l'exemplaire convoité. Les deux hommes s'enferment pendant trois jours dans une chambre du Ritz pour négocier. Trois jours de discussion âpre. Un accord est finalement trouvé et le livre devient la propriété de José Mindlin, qui reprend l'avion aussitôt. Au cours du vol, il a tout le loisir de découvrir l'exemplaire récemment acquis, quelque peu dépité de constater que le livre en lui-même n'offre rien de très extraordinaire, mais il s'y attendait. Il le tourne un peu dans tous les sens, cherche le détail rare, la singularité, puis il le repose à côté de lui. A l'arrivée au Brésil, il l'oublie dans l'avion. Il avait acquis l'objet mais cet objet, du même coup, avait perdu toute importance. Il se trouve que, par un petit miracle, le personnel d'Air France a remarqué le livre et l'a mis de côté. Mindlin a pu le récupérer. Il disait que cela ne lui avait fait, finalement, ni chaud, ni froid. Et je le confirme : le jour où j'ai dû me délester d'une partie de ma bibliothèque, je n'en ai pas ressenti de peine particulière.

U.E. : J'ai fait cette expérience, moi aussi. Le vrai collectionneur est davantage intéressé par la quête que par la possession, comme le vrai chasseur est concerné d'abord par la chasse et ensuite éventuellement par la préparation culinaire et la dégustation des animaux qu'il a abattus. Je connais des collectionneurs (et remarquez qu'on collectionne tout, livres, timbres-poste, cartes postales, bouchons de champagne) qui passent leur vie entière à confectionner une collection complète et qui, une fois cette collection constituée, la vendent ou même la donnent à une bibliothèque ou à un musée...

J.-C.C. : Je reçois comme vous un très grand nombre de catalogues de libraires. La plupart sont des catalogues de catalogues de livres. « *Books on books* », comme on les appelle. Il y a des ventes aux enchères où on ne vend que des catalogues de librairies. Certains datent du XVIIIᵉ siècle.

U.E. : Je suis obligé de me débarrasser de ces catalogues, qui sont souvent de véritables objets d'art. Mais la place d'un livre aussi a un prix, nous en reparlerons. A présent, tous ces catalogues, je les apporte à l'université où je dirige un master ouvert aux futurs éditeurs. Il y a naturellement un cours sur l'histoire du livre. J'en garde seulement quelques-uns lorsqu'ils concernent les thématiques qui me sont chères, ou bien lorsqu'ils sont bougrement beaux. Certains de ces catalogues sont conçus non pas pour de véritables bibliophiles, mais pour les nouveaux riches qui veulent investir dans le livre ancien. Dans ce cas ils font penser davantage à des livres d'art. S'ils n'étaient pas envoyés gratuitement, ils coûteraient une fortune.

J.-P. de T. : *Je ne peux m'empêcher de vous demander ce que coûtent ces incunables. Le fait d'en posséder quelques-uns fait-il de vous des personnes fortunées ?*

U.E. : Cela dépend. Il y a des incunables qui désormais coûtent des millions d'euros et d'autres que vous pouvez acquérir pour quelques centaines seulement. Le plaisir du collectionneur est aussi de trouver un ouvrage rarissime et de le payer la moitié ou le quart de son prix. Même si cela devient de plus en plus rare, parce que le marché se réduit comme une peau de chagrin, il n'est toutefois pas absolument impossible de réaliser quelques bonnes opérations. Parfois un bibliophile peut même faire des achats convenables chez un antiquaire réputé pour être très cher. Un livre en latin en Amérique, même assez rare, n'intéressera pas les collectionneurs parce qu'ils ne lisent pas les langues étrangères et moins encore le latin ; à plus forte raison si on peut trouver ce texte dans les grandes bibliothèques universitaires. Ce qui les intéresse de manière obsessionnelle ce sera davantage une première édition de Mark Twain, par exemple (à n'importe quel prix). J'avais trouvé un jour chez Kraus, à New York, un antiquaire de grande tradition (qui malheureusement a fermé il y a quelques années), le *De harmonia mundi* de Francesco Giorgi, un livre merveilleux imprimé en 1525. J'en avais vu une copie à Milan mais je l'avais trouvée trop chère. Chez Kraus, parce que les grandes bibliothèques universitaires le détenaient dejà et que pour le collectionneur américain commun un livre en latin ne présentait aucun intérêt, je l'ai acheté pour un cinquième du prix proposé à Milan.

J'ai fait une autre bonne affaire en Allemagne. Une fois, dans un catalogue d'une séance de vente aux enchères contenant des milliers de livres classés par sections, je regarde presque par hasard la liste des ouvrages rassemblés sous la rubrique « Théologie ». Tout d'un coup, je découvre un titre,

Offenbarung göttlicher Mayestat d'Aloysius Gutman. Gutman, Gutman... Le nom me dit quelque chose. Je fais une rapide recherche et je découvre que Gutman est considéré comme étant l'inspirateur des tous les manifestes rose-croix, mais que son livre n'avait jamais paru dans un catalogue sur le sujet, au moins dans les trente dernières années. On le proposait pour une mise à prix de départ de cent euros d'aujourd'hui. Je me suis dit que peut-être il pouvait échapper à l'attention des collectionneurs intéressés parce qu'il aurait dû normalement être présenté dans la section « Occulta ». L'enchère avait lieu à Munich. J'écris à mon éditeur allemand (qui est de Munich) de se porter acquéreur mais en n'offrant pas plus de deux cents euros. Il l'a eu pour cent cinquante.

Ce livre n'est pas seulement d'une rareté absolue, mais chaque page comporte en marge des notes en gothique de couleurs rouge, noire, verte qui en font un objet d'art en soi. Mais au-delà de ces coups de chance, ces dernières années, les enchères ont atteint des sommets inégalés du fait de la présence sur le marché d'acheteurs qui ne savent rien des livres mais à qui on a simplement dit que l'achat de vieux livres représentait un bon investissement. Ce qui est absolument faux. Si vous achetez un bon du Trésor à mille euros, vous pouvez le vendre peu de temps après soit au même prix, soit avec une petite ou une grande marge, sur un simple coup de fil à votre banque. Mais si vous achetez un livre mille

euros, vous ne le revendrez pas demain mille euros.
Le libraire aussi doit dégager une marge : il a engagé des frais pour le catalogue, pour sa boutique et
ainsi de suite – et d'ailleurs, s'il est malhonnête, il
essaiera de vous donner moins du quart de sa valeur
sur le marché. Dans tous les cas, pour trouver le
bon client, il faut du temps. Vous ferez de l'argent
seulement après votre mort en confiant la vente de
vos livres à Christie's.

Il y a cinq ou six ans, un antiquaire de Milan m'a
montré un merveilleux incunable de Ptolémée.
Malheureusement, il me demandait l'équivalent de
cent mille euros. C'était trop, au moins pour moi.
Il est probable que si je l'avais acheté à ce prix,
j'aurais eu toutes les peines du monde à le revendre
au même prix. Or, trois semaines plus tard, un
Ptolémée semblable a été cédé lors d'une enchère
publique à sept cent mille euros. De soi-disant
investisseurs s'étaient amusés à en faire monter le
prix. Et depuis lors, je l'ai vérifié, chaque fois qu'il
apparaissait dans un catalogue, il n'était jamais
meilleur marché. A ce prix-là, le livre échappe aux
véritables collectionneurs.

J.-C.C. : Il devient **un** objet de finance, un produit, et c'est assez triste. Les collectionneurs, les
vrais amoureux des livres ne sont pas en général des
gens de grosse fortune. Avec le passage par la banque, avec l'étiquette « investissement », là comme
ailleurs, quelque chose se perd.

U.E. : D'abord, le collectionneur ne se rend pas aux ventes aux enchères. Ces enchères se tenant aux quatre coins de la planète, il lui faudrait des moyens considérables pour pouvoir être présent à chaque vente. Mais la seconde raison est que les libraires phagocytent littéralement la vente : ils se mettent d'accord entre eux pour ne pas faire monter les enchères, après quoi ils se revoient à l'hôtel et se redistribuent ce qu'ils ont acheté. Pour acheter un livre qu'on aime, il faut laisser passer parfois dix ans. Encore une fois, j'ai fait une des plus belles affaires de ma vie chez Kraus, à propos de cinq incunables reliés ensemble pour lesquels on demandait ce qui pour moi était évidemment trop cher. Mais chaque fois que je revenais chez eux, je plaisantais sur le fait qu'ils n'avaient toujours pas vendu les livres, signe qu'ils étaient peut-être trop chers. A la fin, le patron m'a dit que ma fidélité et mon obstination devaient être récompensées et il m'a cédé les livres pour la moitié, environ, de ce qu'il demandait auparavant. Un mois plus tard, dans un autre catalogue, un seul de ces incunables était évalué plus ou moins à deux fois ce que j'avais payé pour les cinq. Et dans le cours des années qui ont suivi, le prix de chacun des cinq n'a cessé de grimper. Dix ans de patience. Le jeu est amusant.

J.-C.C. : Croyez-vous que le goût des livres anciens va durer ? C'est la question que se posent, non sans inquiétude, les bons libraires. S'ils n'ont plus qu'une clientèle de banquiers, le métier est foutu. Plusieurs libraires que je connais me disent qu'il y a de moins en moins de vrais amateurs parmi les nouvelles générations.

U.E. : Il faut rappeler que les livres anciens sont nécessairement des objets en voie de disparition. Si j'ai un bijou très rare en ma possession, ou même un Raphaël, lorsque je meurs, ma famille le vend. Mais si j'ai une bonne collection de livres, j'indique en général sur mon testament que je veux qu'elle ne soit pas éparpillée parce que j'ai passé toute ma vie à la constituer. Alors, ou bien elle sera donnée à une institution publique, ou bien elle sera achetée, par le biais de Christie's, par une grande bibliothèque, généralement américaine.

Tous ces livres disparaissent alors pour toujours du marché. Le diamant revient sur le marché chaque fois que son nouveau propriétaire meurt. Mais l'incunable, lui, est maintenant référencé dans le catalogue de la bibliothèque de Boston.

J.-C.C. : Il n'en sortira plus.

U.E. : Plus jamais. Donc, au-delà des dégâts produits par les soi-disant investisseurs, chaque exemplaire d'un livre ancien devient de plus en plus rare, et donc nécessairement de plus en plus coûteux. Quant aux nouvelles générations, je ne pense pas que le goût des livres rares y ait disparu. Je me demande plutôt s'il a jamais existé, les livres anciens ayant toujours coûté au-delà des possibilités financières des jeunes gens. Mais il faut aussi dire que, si quelqu'un est véritablement passionné, il peut devenir collectionneur sans dépenser trop. J'ai retrouvé dans mes rayons deux *Aristote* du XVIᵉ siècle, achetés par curiosité dans ma jeunesse et qui (en voyant le prix écrit au crayon par le bouquiniste sur la page du titre) m'avaient coûté quelque chose comme deux euros d'aujourd'hui. Du point de vue d'un antiquaire, ce n'est évidemment pas grand-chose.

J'ai un ami qui collectionne les petits volumes de la BUR, la Bibliothèque Universelle Rizzoli, qui était l'équivalent de la Bibliothèque Reclam en Allemagne. Ce sont des livres parus dans les années cinquante, devenus très rares à cause de leur aspect fort modeste et, parce qu'ils ne coûtaient presque rien, personne ne se souciait de les conserver soigneusement. Pourtant, en reconstituer la série complète (presque un millier de titres) est une entreprise passionnante qui ne nécessite pas d'avoir de l'argent et d'aller chez un antiquaire de luxe, mais davantage d'explorer le petit marché aux puces (ou aujourd'hui eBay). On peut être bibliophile à bon prix. J'ai un autre ami qui collectionne de modestes éditions anciennes (mais non nécessairement originales) de poètes qu'il affectionne parce que, me dit-il, la lecture des poèmes dans une impression de l'époque a un autre « goût ».

Est-il un bibliophile pour autant? Ou simplement un passionné de poésie? Vous trouverez un peu partout des marchés de vieux livres où vous pourrez dénicher des éditions du XIXe siècle et même des premières éditions du XXe siècle, au prix d'une choucroute au restaurant (sauf si vous voulez la première édition des *Fleurs du mal*). J'avais un étudiant qui collectionnait seulement les guides touristiques des différentes villes, les plus périmés, qu'on lui vendait pour trois fois rien. Il en a tiré tout de même une thèse de doctorat sur la vision d'une ville à travers les décennies. Ensuite il a publié sa thèse. Il en a fait un livre.

J.-C.C. : Je peux raconter comment j'ai fait l'acquisition un jour d'un Fludd complet, en reliure uniforme d'époque. Sans doute un exemplaire unique. L'histoire commence dans une riche famille, en Angleterre, qui possède une bibliothèque précieuse et qui compte plusieurs enfants. Parmi eux, ce qui arrive souvent, un seul connaît la vraie valeur des livres. Lorsque le père meurt, le connaisseur dit nonchalamment à ses frères et sœurs : « Moi je prends *juste* les livres. Débrouillez-vous avec le reste. » Les autres sont enchantés. Ils ont les terres, l'argent, les meubles, le château. Mais le nouveau détenteur des livres, lorsqu'ils sont en sa possession, ne peut pas les vendre officiellement, sous peine d'alerter la famille qui se rendra compte, au vu des résultats de la vente, que « juste les livres » n'était pas rien, au contraire, et qu'ils se sont fait rouler. Il décide alors, sans en parler à sa famille, de les vendre secrètement à des courtiers internationaux, qui sont souvent des personnages fort étranges. Le Fludd m'est arrivé par l'entremise d'un courtier qui se déplaçait à vélomoteur, un sac plastique accroché au guidon, et dans ce sac il trimbalait parfois des trésors. J'ai mis quatre ans à payer cet ensemble mais personne, dans la famille anglaise, n'a pu savoir entre les mains de qui il avait terminé sa course, et à quel prix.

Des livres qui voudraient absolument parvenir jusqu'à nous

J.-P. de T. : *Vous avez semble-t-il traqué certains livres, parfois avec une grande obstination. Pour compléter la série d'un auteur, ou bien pour enrichir vos thématiques. Simplement encore par amour du bel objet ou de ce que tel livre en particulier pouvait symboliser pour vous. Avez-vous des histoires à nous faire partager sur ce travail minutieux de détective ?*

J.-C.C. : Je vous raconte à ce sujet une visite à la directrice des Archives nationales, il y a une dizaine d'années. Il faut savoir que chaque jour, aux Archives, en France comme dans tous les pays qui en possèdent, j'imagine, un camion vient chercher un monceau de vieux papiers qu'on a décidé de détruire. Car il faut bien faire de la place pour accueillir ce qui entre chaque jour aux Archives. Il faut détruire, là aussi, il faut filtrer, c'est la loi du monde.

Avant que le camion ne vienne prendre livraison,

on fait passer quelquefois ceux qu'on appelle les « papiéristes », des amateurs de vieux papiers, actes notariés, contrats de mariage, qui viennent et se servent gracieusement dans ce qui va être détruit. La directrice me raconte qu'elle arrive un jour à son bureau et s'apprête à entrer dans l'enceinte du bâtiment, lorsqu'un de ces camions en sort et passe juste devant elle. C'est l'idée que j'aime toujours beaucoup de l'« œil exercé ». De l'œil qui a appris à voir, de l'œil qui n'attendait que ça. Elle s'écarte donc pour laisser sortir le camion et là elle voit, dépassant d'un gros ballot, un bout de papier de couleur jaunâtre. Elle fait immédiatement arrêter le camion, défaire un câble, ouvrir le ballot en question et tombe sur une des rares affiches connues de L'Illustre-Théâtre de Molière au temps où il opérait encore en province! Comment l'affiche était-elle arrivée là? Et pourquoi l'envoyait-on à la crémation? Combien de documents précieux, de livres rares, ont été livrés à la destruction par simple distraction, inadvertance, négligence? Les négligents ont fait plus de dégâts, peut-être, que les destructeurs.

U.E. : Un collectionneur doit en effet posséder cet œil exercé dont vous parlez. Il y a quelques mois, j'étais à Grenade, et, après avoir vu l'Alhambra et toutes les choses que je devais voir, un ami m'a amené, à ma demande, consulter les rayonnages d'une librairie de livres anciens. Il régnait là un désordre peu commun et je farfouillais sans grand succès parmi un amoncellement de livres en espagnol qui ne présentaient pas pour moi le moindre intérêt, lorsque, tout d'un coup, mon regard est attiré par deux ouvrages que je demande qu'on sorte. J'étais tombé sur deux ouvrages de mnémotechnique en espagnol. J'en ai payé un et le vendeur m'a fait cadeau de l'autre. Vous pourrez me dire que c'est là un coup de chance et qu'il devait peut-être exister d'autres trésors chez ce libraire. Je suis certain que non. Il y a une espèce de flair canin qui vous fait aller droit à votre proie.

J.-C.C. : Il m'est arrivé d'accompagner mon ami Gérard Oberlé, libraire bien connu et excellent écrivain, chez des bouquinistes. Il entre dans une boutique et regarde très lentement les rayons, en silence. A un moment donné, il se dirige vers LE livre qui l'attendait. C'est le seul qu'il touche et le seul qu'il prend. La dernière fois il s'agissait du livre que Samuel Beckett a écrit sur Proust, difficile à trouver en édition originale. J'ai connu aussi, rue de l'Université, un excellent libraire spécialisé en livres et objets scientifiques. Etudiant, il me laissait entrer dans sa boutique, ainsi que mes copains, sachant très bien que nous ne pouvions rien lui acheter. Mais il nous parlait, il nous montrait de belles choses. C'est un de ceux qui ont formé mon goût. Il habitait rue du Bac, de l'autre côté du boulevard Saint-Germain. Il rentre un soir chez lui, remonte la rue du Bac, traverse le boulevard et, poursuivant son chemin, il aperçoit, sortant d'une poubelle, un morceau de laiton qui attire son regard. Il s'arrête, soulève le couvercle, « fait » la poubelle et en retire une des douze machines à calculer fabriquées par Pascal lui-même. Un objet sans prix. Elle est maintenant au CNAM, le Conservatoire national des arts et métiers. Qui l'y avait jetée ? Et quelle coïncidence que cet œil exercé soit passé très précisément ce soir-là !

U.E. : Je riais tout à l'heure en évoquant ma découverte chez ce libraire de Grenade. Tout simplement parce que, pour être honnête, je ne suis pas certain du tout qu'il n'existait pas, chez lui, un troisième ouvrage qui m'aurait passionné tout autant que les deux autres. Peut-être votre ami libraire est-il passé trois fois près d'un objet qui lui faisait signe, mais sans le voir, et n'a-t-il remarqué la machine de Pascal que la quatrième fois.

J.-C.C. : Il existe dans la langue catalane un texte fondateur qui date du XIIIe siècle. Ce manuscrit, long de deux pages seulement, a disparu depuis longtemps, mais une version imprimée existe, datant du XVe siècle. Il s'agit donc d'une version incunable, rarissime. C'est évidemment l'incunable le plus précieux du monde pour un amateur catalan. Il se trouve que je connais un libraire de Barcelone qui, après des années de recherche, comme un détective tenace sur une piste effacée, a fini par dénicher le précieux incunable. Il l'a acheté et revendu à la bibliothèque de Barcelone pour un prix qu'il ne m'a pas révélé mais qui devait être assez remarquable.

Quelques années passent. Le même libraire achète un jour un gros in-folio du XVIIIe siècle dont la reliure, comme c'était souvent le cas, est bourrée de vieux papiers. Il fait alors ce qu'on fait dans un cas semblable, il fend la reliure délicatement avec un rasoir pour la vider. Et parmi les vieux papiers qui sont là, il trouve le manuscrit du XIIIe siècle, supposé perdu depuis longtemps. Le manuscrit même, l'original. Il a cru s'évanouir. Le vrai trésor était là. Il l'attendait. Quelqu'un l'avait glissé là par pure ignorance.

U.E. : Quaritch, le plus important libraire-antiquaire anglais et peut-être du monde, a organisé une exposition et un catalogue à partir des seuls manuscrits trouvés dans les reliures. Il y avait même la description très minutieuse d'un manuscrit ayant survécu à l'incendie de la bibliothèque du *Nom de la rose*, manuscrit complètement inventé par eux, évidemment. Je m'en suis aperçu (il suffisait de contrôler les dimensions pour s'apercevoir qu'il était grand comme un timbre-poste) et c'est ainsi que nous sommes devenus amis. Mais beaucoup de personnes avaient cru qu'il s'agissait d'un document authentique.

J.-C.C. : Croyez-vous possible qu'on trouve encore une tragédie de Sophocle ?

U.E. : Nous étions récemment agités par une grande polémique, en Italie, à propos du papyrus d'Artémidore acquis au prix fort par la Fondation bancaire San Paolo de Turin. Les deux plus grands spécialistes italiens se battent : ce texte attribué au géographe grec Artémidore est-il authentique ou bien est-ce un faux ? Chaque jour nous trouvons dans la presse l'intervention fracassante d'un nouveau spécialiste qui vient confirmer ou infirmer ce qui a été publié la veille. Tout cela pour dire que nous continuons à voir réapparaître ici ou là des vestiges plus ou moins riches du passé. Il n'y a que cinquante ans que nous avons retrouvé les manuscrits de la mer Morte. Je crois que la probabilité de retrouver ces documents est plus grande de nos jours, où nous construisons davantage, où nous remuons davantage la terre. Il existe aujourd'hui plus de probabilités de retrouver un manuscrit de Sophocle qu'au temps de Schliemann.

J.-P. de T. : *En tant que bibliophiles et amoureux des livres, quel serait votre vœu le plus cher ? Qu'aimeriez-vous voir ressurgir de terre demain, au détour d'un chantier ?*

U.E. : Je voudrais retrouver pour moi-même, jalousement, un autre exemplaire de la Bible de

Gutenberg, le premier livre imprimé. Je serais intéressé qu'on retrouve aussi les tragédies perdues dont
parle Aristote dans sa *Poétique*. Sinon, je ne vois pas
tellement de livres disparus qui me manqueraient.
Peut-être pour la raison que, s'ils ont disparu,
comme nous l'avons dit, c'est peut-être qu'ils ne
méritaient pas de survivre au feu ou à l'inquisiteur
qui les a détruits.

J.-C.C. : Je serais ravi, pour ce qui me concerne,
de découvrir un codex maya inconnu. Lorsque je
suis arrivé pour la première fois au Mexique en
1964, on m'apprit qu'il existait quelque cent mille
pyramides répertoriées, mais que trois cents seulement avaient été fouillées. J'ai interrogé, des années
plus tard, un archéologue qui travaillait à Palenque
pour lui demander combien de temps dureraient
encore les fouilles, à cet endroit-là. Il me répondit :
« Cinq cent cinquante ans environ. » Le monde
précolombien nous offre sans doute l'exemple le
plus farouche d'une tentative de destruction totale
d'un « écrit », de toute trace d'un langage, d'une
expression, d'une littérature, c'est-à-dire d'une
pensée, comme si ces peuples vaincus ne méritaient
aucune mémoire. Des entassements de codex ont
été brûlés dans le Yucatán, sous les directives de
quelques talibans chrétiens. Quelques exemplaires à
peine ont survécu, aussi bien pour les Aztèques que
pour les Mayas, et quelquefois dans des circonstances extravagantes. Un codex maya a été découvert à

Paris, par un « œil exercé », au XIXe siècle, près d'une cheminée où on s'apprêtait à le brûler.

Cela dit, les langues anciennes d'Amérique ne sont pas mortes. Elles sont même renaissantes. Le nahuatl, la langue des Aztèques, prétend au titre de langue nationale, au Mexique. *En attendant Godot* vient d'être traduit en nahuatl. J'ai déjà réservé un exemplaire de l'édition « originale ».

J.-P. de T. : *Peut-on imaginer découvrir demain, un livre dont nous ignorions l'existence ?*

J.-C.C. : Voici une histoire proprement extraordinaire. Le personnage central en est Paul Pelliot, linguiste français, jeune explorateur du début du XXe siècle. C'est un linguiste surdoué, un peu comme l'était Champollion un siècle plus tôt, et un archéologue. Il travaille avec une équipe allemande en Chine de l'Ouest, dans la région de Dunhuang, sur une des routes de la soie. On sait en effet par les caravaniers, depuis fort longtemps, qu'il existe dans cette région des grottes contenant des statues du Bouddha et quantité d'autres vestiges.

Pelliot et ses collègues découvrent en 1911 une grotte qui est restée murée depuis le Xe siècle de notre ère. Ils négocient avec le gouvernement chinois et la font ouvrir. Elle se révèle contenir soixante-dix mille manuscrits qui datent tous d'avant le Xe siècle ! Certains prétendent qu'il s'agit de la plus grande découverte archéologique du

XXᵉ siècle. Une caverne de livres ignorés ! Imaginons que nous pénétrions tout à coup dans une salle close de la bibliothèque d'Alexandrie, où tout serait conservé ! Pelliot – œil exercé s'il en fut – a dû éprouver quelque chose de comparable, une joie intense. A quelle cadence battait son cœur ? Une photographie le montre, assis parmi des piles de textes antiques, s'éclairant à la bougie. Prodigieusement heureux, à n'en pas douter.

Il reste trois semaines dans la grotte au milieu de ces trésors et commence à les classer. Il va découvrir deux langues disparues, dont l'ancien pahlavi, un vieux persan. Il découvre aussi le seul texte manichéen que nous possédions qui soit écrit – en chinois – par les manichéens eux-mêmes et non par leurs adversaires, un texte sur lequel Nahal, mon épouse, a fait sa thèse. Mani y est appelé « le Bouddha de lumière ». Et bien d'autres documents incroyables. Des textes de toutes les traditions. Pelliot réussit à convaincre le gouvernement français, avec l'accord des Chinois, d'acheter environ vingt mille de ces manuscrits. Ils constituent aujourd'hui le fonds Pelliot à la Bibliothèque nationale. Toujours en cours de traduction et d'étude.

J.-P. de T. : *Alors, autre question : peut-on imaginer de découvrir un chef-d'œuvre inconnu ?*

U.E. : Un aphoriste italien a écrit qu'on ne pouvait pas être un grand poète bulgare. L'idée en soi paraît un peu raciste. Probablement voulait-il dire l'une de ces deux choses, ou toutes les deux à la fois (au lieu de la Bulgarie il aurait pu choisir tout autre petit pays) : premièrement, même si ce grand poète a existé, sa langue n'est pas assez connue et nous n'aurons jamais alors l'occasion de croiser sa route. Donc si « grand » veut dire fameux, on peut être un bon poète et ne pas être fameux. J'ai été une fois en Géorgie, et on m'a dit que leur poème national, *L'Homme à la peau de tigre,* de Rustaveli, était un immense chef-d'œuvre. Je le crois, mais il n'a pas eu le retentissement de Shakespeare !

Deuxièmement, un pays doit avoir été traversé par les grands événements de l'histoire pour produire une conscience capable de penser de façon universelle.

J.-C.C. : Combien de Hemingway sont nés au Paraguay ? Ils avaient peut-être, à leur naissance, la capacité de produire une œuvre d'une grande originalité, d'une vraie force, mais ils ne l'ont pas fait. Ils n'ont pas pu le faire. Parce qu'ils ne savaient pas écrire. Ou bien parce qu'il n'existait pas d'éditeur pour s'intéresser à leur œuvre. Peut-être même ignoraient-ils qu'ils pouvaient écrire, qu'ils pouvaient être « un écrivain ».

U.E. : Dans la *Poétique,* Aristote cite une ving-taine de tragédies que nous ne connaissons plus. Le véritable problème est le suivant : pourquoi seulement les œuvres de Sophocle et d'Euripide ont-elles survécu? Etaient-elles les meilleures, les plus dignes de passer à la postérité? Ou bien alors leurs auteurs ont-ils intrigué de manière à obtenir l'approbation de leurs contemporains et à écarter leurs concurrents, ceux précisément qu'Aristote cite parce qu'ils étaient ceux dont l'histoire aurait dû retenir les noms?

J.-C.C. : Sans oublier que, parmi les œuvres de Sophocle, certaines sont perdues. Les œuvres perdues étaient-elles d'une plus haute qualité que les œuvres conservées? Peut-être celles que nous avons gardées étaient-elles celles que le public athénien préférait, sans être pour cela les plus intéressantes, du moins à nos yeux. Peut-être aujourd'hui en préférerions-nous d'autres. Qui a décidé de conserver, de ne pas conserver, de traduire en arabe cette œuvre plutôt que celle-là? Combien de grands « auteurs » dont nous n'avons rien su? Et pourtant, sans livre, leur gloire est quelquefois immense. Nous retrouvons ici l'idée du fantôme. Qui sait? Le plus grand écrivain est peut-être celui dont nous n'avons rien lu. Au sommet de la gloire, il ne peut sans doute y avoir que l'anonymat. Je pense à ces gloses sur les œuvres de Shakespeare ou de Molière pour savoir – interrogation idiote – qui les a écrites. Quelle importance? Le vrai Shakespeare disparaît dans la gloire de Shakespeare. Shakespeare sans son œuvre ne serait personne. L'œuvre de Shakespeare sans Shakespeare resterait l'œuvre de Shakespeare.

165

U.E. : Il existe peut-être une réponse à notre interrogation. Sur chaque livre s'incrustent, au long du temps, toutes les interprétations que nous en avons données. Nous ne lisons pas Shakespeare comme il l'a écrit. Notre Shakespeare est donc bien plus riche que celui qu'on lisait dans son temps. Pour qu'un chef-d'œuvre soit un chef-d'œuvre, il suffit qu'il soit connu, c'est-à-dire qu'il absorbe toutes les interprétations qu'il a suscitées, lesquelles vont contribuer à faire de lui ce qu'il est. Le chef-d'œuvre inconnu n'a pas eu assez de lecteurs, de lectures, d'interprétations. Enfin, on pourrait dire que c'est le Talmud qui a produit la Bible.

J.-C.C. : Chaque lecture modifie le livre, bien entendu, comme les événements que nous traversons. Un grand livre reste toujours vivant, il grandit et vieillit avec nous, sans jamais mourir. Le temps le fertilise et le modifie, alors que les ouvrages sans intérêt glissent à côté de l'Histoire et s'évanouissent. Je me suis retrouvé, il y a quelques années, en train de relire *Andromaque* de Racine. Je tombe tout à coup sur une tirade où Andromaque raconte à sa servante le massacre de Troie : « Songe, songe, Céphise, à cette nuit cruelle / Qui fut pour tout un peuple une nuit éternelle. » Vous lisez ces lignes différemment après Auschwitz. Le jeune Racine nous décrivait déjà un génocide.

U.E. : C'est l'histoire du *Pierre Ménard* de Borges. Il imagine qu'un auteur s'est essayé à récrire le *Quichotte* en assimilant l'histoire et la culture de l'Espagne du XVIIᵉ siècle. Il écrit donc un *Quichotte* qui est, mot pour mot, identique à celui de Cervantès, mais dont le sens change parce que la même phrase, dite aujourd'hui, n'a pas la même signification qu'en ce temps-là. Et nous la lisons d'une façon différente, aussi, à cause des lectures infinies qu'elle a provoquées et qui sont devenues comme partie intégrante du texte original. Le chef-d'œuvre inconnu, lui, n'a pas eu cette chance.

J.-C.C. : On ne naît pas chef-d'œuvre, on le devient. Il faut ajouter que les grandes œuvres s'influencent réciproquement à travers nous. Nous pouvons sans doute expliquer combien Cervantès a eu d'influence sur Kafka. Mais nous pouvons aussi dire – Gérard Genette l'a clairement montré – que Kafka a influencé Cervantès. Si je lis Kafka avant de lire Cervantès, à travers moi et à mon insu, Kafka modifiera ma lecture du *Quichotte*. De la même manière que nos parcours de vie, nos expériences personnelles, cette époque où nous vivons, les informations que nous recevons, tout, même nos infortunes domestiques ou les problèmes de nos enfants, tout influence notre lecture des œuvres anciennes.

Il m'arrive d'ouvrir de temps à autre des livres, au hasard. Ainsi, le mois dernier, j'ouvre le *Quichotte*

167

dans sa dernière partie, celle qu'on lit le moins. Sancho, de retour de son « île », rencontre un de ses amis, nommé Ricote, un *converso*, c'est-à-dire un Maure converti, qu'un décret royal (le fait est historique) vient de décider de renvoyer en Berbérie, en Afrique, pays qu'il ne connaît pas, dont il ne parle pas la langue et dont il ne pratique pas la religion, étant né en Espagne comme ses parents et se disant bon chrétien. Cette page est étonnante. Elle nous parle directement de nous, simplement, sans intermédiaire : « Nulle part nous ne trouvons l'accueil que souhaite notre infortune », dit le personnage. Autorité, familiarité et actualité d'un grand livre : nous l'ouvrons, il nous parle de nous. Parce que nous avons vécu depuis ce temps-là, parce que notre mémoire s'est ajoutée, s'est mêlée au livre.

U.E. : C'est le cas de la *Joconde*. Vinci a fait des choses que je considère plus belles, par exemple la *Vierge aux rochers* ou la *Dame à l'hermine*. Mais la *Joconde* a reçu plus d'interprétations, lesquelles, comme des couches sédimentaires, se sont déposées avec le temps sur la toile en la transformant. Eliot avait déjà dit tout cela dans son essai sur *Hamlet*. *Hamlet* n'est pas un chef-d'œuvre, c'est une tragédie désordonnée qui ne réussit pas à harmoniser des sources différentes. Pour cette raison elle est devenue énigmatique et tout le monde continue à s'interroger à son sujet. *Hamlet* n'est pas un chef-d'œuvre pour ses qualités littéraires ; c'est parce qu'il résiste à nos interprétations qu'il est devenu un chef-d'œuvre. Il suffit parfois de prononcer des mots insensés pour passer à la postérité.

J.-C.C. : Et les redécouvertes. Une œuvre traverse le temps et semble attendre son heure de lumière. La télévision m'a demandé si j'aimerais adapter *Le Père Goriot*. Je n'avais pas lu ce roman depuis trente ans, au moins. Je me suis assis, un soir, pour y jeter un coup d'œil. Je n'ai pas pu le lâcher avant la fin, vers trois ou quatre heures du matin. Je sentais une telle pulsion dans ces pages, une telle énergie d'écriture, qu'il m'était impossible de lever les yeux un instant. Comment se fait-il que Balzac, qui a trente-deux ans lorsqu'il écrit ce livre, qui n'est pas marié, qui n'a pas d'enfants, décortique les relations d'un vieux père avec ses filles d'une manière aussi cruelle, précise et juste ? Il raconte par exemple à Rastignac, qui partage la même pension, qu'il va voir passer ses filles le soir, sur les Champs-Elysées. Il leur a payé des calèches, des laquais et tout ce qui peut contribuer à leur félicité. Et il s'est appauvri, bien sûr, ruiné même. Comme il a peur de les gêner par sa présence, il ne se fait pas voir, il ne leur adresse aucun signe. Il se contente d'écouter les commentaires admiratifs de ceux qui les voient passer et il dit à Rastignac : « Je voudrais être le petit chien sur leurs genoux. » Avoir trouvé ça ! Il y a donc des redécouvertes collectives, de temps en temps, mais aussi des redécouvertes personnelles, précieuses, que chacun de nous peut faire, un soir, en saisissant un livre oublié.

U.E. : Je me rappelle avoir découvert dans ma jeunesse Georges de La Tour, et j'en étais devenu amoureux, me demandant pourquoi on ne le considérait pas comme un génie à la hauteur du Caravage. Des décennies plus tard, La Tour a été redécouvert et encensé. Il est devenu alors très populaire. Parfois il suffit de faire une exposition (ou une édition nouvelle d'un livre) pour provoquer ce soudain engouement.

J.-C.C. : Nous pourrions aborder au passage le thème de la résistance de certains livres à la destruction. Nous avons parlé déjà de la manière dont les Espagnols se sont comportés face aux civilisations amérindiennes. De ces langages, de ces littératures, nous n'avons conservé qu'un total de trois codex mayas et quatre codex aztèques. Deux d'entre eux ont été retrouvés par miracle. L'un, un codex maya, à Paris ; l'autre, aztèque, à Florence, appelé pour cette raison *codex florentino*. Est-ce qu'il y aurait des livres rusés, entêtés, qui voudraient absolument survivre et s'échouer un jour sous nos yeux ?

J.-P. de T. : *Peut-être le détournement de manuscrits et de livres précieux constitue-t-il une tentation pour ceux qui ont une idée précise de leur valeur. Un conservateur de la BN à Paris a été accusé récemment d'avoir détourné un manuscrit appartenant au fonds hébraïque dont il avait la charge.*

U.E. : Il y a aussi des livres qui ont survécu grâce à des voleurs. Votre question me fait songer à l'histoire de Girolamo Libri, un comte florentin du XIXe siècle, grand mathématicien devenu citoyen français. C'est en tant que grand savant, très respecté, qu'il est nommé commissaire extraordinaire pour le sauvetage de manuscrits appartenant au patrimoine national. Il parcourt toute la France, allant d'un monastère à une bibliothèque municipale, et s'emploie en effet à arracher à leur triste sort des documents de très grande valeur et quantité de livres précieux. Son entreprise est saluée par le pays qui l'a accueilli, jusqu'au jour où on découvre qu'il a détourné, pour son usage propre, des milliers de ces documents et livres qui sont inestimables. Il est menacé d'un procès. Toute la culture française de l'époque, de Guizot à Mérimée, signe un manifeste pour la défense du pauvre Girolamo Libri, clamant avec passion son intégrité. Et les intellectuels italiens se lèvent aussi. C'est un plaidoyer sans faille qui se déploie en faveur de ce malheureux injustement accusé. On continue à le défendre y compris lorsqu'on découvre à son domicile les milliers de documents qu'on l'accusait d'avoir détournés. Il était probablement un peu comme ces Européens qui, en Egypte, découvraient des objets qu'ils trouvaient assez naturel de rapporter chez eux. A moins qu'il n'ait gardé ces documents chez lui dans l'attente de les classifier. Pour se soustraire au procès, Girolamo Libri s'exile en Angleterre où il achève sa vie entachée d'un formidable scandale. Mais aucune révélation, depuis ce temps-là, n'a pu nous permettre de savoir s'il était coupable ou non.

J.-P. de T. : *Livres dont nous connaissons l'existence mais que personne n'a jamais vus ou lus. Chefs-d'œuvre inconnus et destinés à le rester. Manuscrits inestimables détournés ou attendant au fond d'une grotte depuis près de mille ans. Mais que dire maintenant des œuvres qui perdent soudain la paternité d'un auteur pour être attribuées à un autre ? Shakespeare a-t-il écrit Shakespeare ? Homère est-il Homère ? Etc.*

J.-C.C. : Un souvenir à propos de Shakespeare. Je me trouvais à Pékin, juste après la Révolution culturelle. Je prenais mon petit déjeuner à l'hôtel en consultant le *China Today* en anglais. Ce matin-là, sur sept colonnes, en première page, cinq étaient consacrées à un événement sensationnel : des experts venaient de découvrir en Angleterre que certaines œuvres de Shakespeare n'étaient pas de lui. Je m'empresse de lire l'article pour découvrir qu'en réalité le litige portait sur quelques vers à peine, au demeurant peu intéressants, et dispersés dans certaines de ses pièces.

Le soir je dîne avec deux sinologues et je leur rapporte ma surprise. Comment une non-nouvelle à propos de Shakespeare pouvait-elle occuper la presque totalité de la première page du *China Today*? L'un des sinologues me dit alors : « N'oubliez pas que vous êtes ici au pays des mandarins, c'est-à-dire un pays où l'écriture est depuis longtemps liée au pouvoir, primordiale. Lorsqu'il arrive quelque chose au plus grand des écrivains de l'Occident, et peut-être du monde, cela vaut cinq colonnes à la une. »

U.E. : Les travaux consacrés à confirmer ou à infirmer l'authenticité des œuvres de Shakespeare sont infinis. J'en ai une bonne collection, au moins des plus célèbres. Le débat porte le nom de « *The Shakespeare-Bacon controversy* ». J'ai écrit une fois un canular selon lequel, si toutes les œuvres de Shakespeare avaient été écrites par Bacon, ce dernier n'aurait jamais eu le temps d'écrire les siennes, qui auraient donc été écrites par Shakespeare.

J.-C.C. : Nous avons les mêmes problèmes en France avec Corneille et Molière, nous en avons parlé. Qui est l'auteur des œuvres de Molière? Qui, sinon Molière? A l'époque de mes études classiques, un professeur nous avait tenus pendant quatre mois sur la « question homérique ». Sa conclusion était la suivante : « Nous savons maintenant que les poèmes homériques n'ont probablement pas été écrits par Homère mais par son petit-fils, qui s'appelait Homère également. » Les choses ont

173

évolué, puisque les spécialistes s'accordent aujourd'hui pour dire que *L'Iliade* et *L'Odyssée* ne sont certainement pas du même auteur. La piste du petit-fils d'Homère semble donc définitivement abandonnée.

En tout cas la question d'une copaternité Corneille-Molière laisse imaginer toutes sortes de scénarios. Molière dirigeait un théâtre avec des employés, un régisseur, des acteurs, des gens qui le voyaient sans cesse. Il existait des registres où ses activités étaient consignées, comme les recettes. Cela laisse donc supposer que l'essentiel était caché, que Corneille lui apportait les textes la nuit, enveloppé d'un grand manteau noir. Il est extraordinaire que personne à l'époque ne s'en soit rendu compte. Mais la crédulité l'emporte sur le vraisemblable. Nous sommes là aussi dans l'absurde théorie du complot. Pour certains, il est impossible d'accepter le monde tel qu'il est. Faute de pouvoir le refaire, ils doivent à toute force le récrire.

U.E. : Il faut nécessairement qu'il y ait, associé à l'acte de création, un mystère. Le public le réclame. Sinon comment Dan Brown gagnerait-il sa vie ? Depuis Charcot, nous savons très bien pourquoi un hystérique a des stigmates, mais nous en sommes encore à idolâtrer Padre Pio. Que Corneille soit Corneille est banal. Mais que Corneille soit non seulement Corneille mais aussi Molière, alors l'intérêt redouble.

J.-C.C. : Quant à Shakespeare il faut rappeler que, de son vivant, peu de ses pièces ont été publiées. Longtemps après sa mort, un groupe d'érudits anglais s'est réuni pour composer la première édition complète de ses œuvres, en 1623, laquelle est considérée comme l'édition originale et qu'on appelle le *Folio*. Trésor des trésors, évidemment. Existe-t-il encore quelques spécimens de cette édition quelque part ?

U.E. : J'en ai vu trois à la Folger Library de Washington. Il en existe, oui, mais plus sur le marché des antiquaires. Je raconte une histoire sur un libraire et le *Folio* de 1623 dans *La Mystérieuse Flamme de la reine Loana*. C'est celle du rêve de tout collectionneur. Mettre la main sur une Bible de Gutenberg ou sur le *Folio* de 1623. Mais il n'y a plus de Bible de Gutenberg sur le marché, nous l'avons dit, elles sont désormais toutes dans les grandes bibliothèques. J'en ai vu deux à la Pierpont Morgan Library de New York, l'une des deux étant d'ailleurs incomplète. J'en ai touché une, sur vélin, et rubriquée en couleurs (c'est-à-dire avec toutes les lettres initiales coloriées à la main), à la Bibliothèque Vaticane. Si le Vatican n'est pas l'Italie, alors il n'y a pas une seule Bible de Gutenberg en Italie. La dernière copie connue au monde a été vendue, il y a vingt ans, à une banque japonaise pour, si je me souviens bien, trois ou quatre millions de dollars de l'époque. Si jamais il en surgissait une sur le marché de la bibliophilie, personne ne peut dire à quel prix elle serait aujourd'hui proposée. Tout collectionneur rêve de trouver quelque part une vieille dame qui aurait chez elle, dans une vieille armoire, une Bible de Gutenberg. La dame a quatre-vingt-quinze ans, elle est malade. Le collectionneur lui propose pour ce vieux livre deux cent mille euros. Il s'agit pour elle d'une fortune qui va lui permettre de terminer agréablement sa vie. Mais une question se pose aussitôt : une fois que vous emportez cette Bible chez vous, qu'est-ce que vous en faites ? Ou bien vous ne le dites à personne et c'est comme voir un film comique tout seul. Vous ne riez pas. Ou alors vous commencez à le raconter et vous mobilisez immédiatement tous les voleurs du monde. En désespoir de cause, vous la donnez à la mairie de votre ville. Elle sera placée en lieu sûr et vous aurez la possibilité de la voir avec vos amis autant de fois que vous voudrez. Mais vous ne pourrez pas vous lever au milieu de la nuit pour aller la toucher, la caresser. Alors quelle différence entre avoir et ne pas avoir une Bible de Gutenberg ?

J.-C.C. : En effet. Quelle différence ? Un autre rêve me vient quelquefois, ou plutôt une rêverie. Je suis un voleur, je m'introduis dans une maison particulière où dort une collection magnifique de livres anciens et j'ai apporté un sac où je ne peux mettre que dix livres. Plus deux ou trois dans les poches, disons. Il faut donc que je choisisse. J'ouvre les bibliothèques. Je n'ai que dix ou douze minutes pour faire mon choix car un système d'alarme a pu alerter le commissariat... C'est une situation que j'aime beaucoup. Violer l'espace clos, protégé, d'un collectionneur que j'imagine riche, paradoxalement ignorant et forcément antipathique. Si antipathique qu'il lui arrive parfois de découper l'exemplaire d'un ouvrage très rare pour le vendre feuillet par feuillet. J'ai un ami qui a ainsi une page d'une Bible de Gutenberg.

U.E. : Si je découpais et massacrais certains de mes livres avec planches, je gagnerais cent fois ce que je les ai payés.

J.-C.C. : Ces gens qui découpent les livres de cette manière pour en vendre les gravures, on les appelle les casseurs. Ils sont les ennemis déclarés du bibliophile.

U.E. : J'ai connu un libraire à New York qui ne vendait les ouvrages anciens que de cette manière. « Je fais du vandalisme démocratique, me disait-il. J'achète des copies incomplètes et je les casse. Vous ne pourriez jamais avoir une *Chronique de Nuremberg*, n'est-ce pas ? Eh bien, je vous en vends une page pour 10 dollars. » Mais était-il vrai qu'il cassait seulement les copies incomplètes ? Nous ne le saurons jamais et d'ailleurs il est mort. Une sorte d'accord avait été proposé entre collectionneurs et libraires, les collectionneurs s'engageant à ne pas acheter des pages isolées et les libraires renonçant à les vendre. Mais il y a des planches qui sont séparées de leur livre (désormais disparu) depuis cent ou deux cents ans. Comment résister à la tentation d'une belle image encadrée? J'ai une carte en couleurs de Coronelli, splendide. D'où vient-elle? Je ne sais pas.

Notre connaissance du passé est due à des crétins, des imbéciles ou des adversaires

J.-P. de T. : *A travers les livres anciens que vous collectionnez, dialoguez-vous d'une certaine manière avec le passé ? Les livres anciens sont-ils pour vous un témoignage sur le passé ?*

U.E. : J'ai dit que je collectionnais seulement des livres ayant une relation avec des choses erronées et fausses. Cela prouve que ces livres-là ne sont pas des témoins indiscutables. Pourtant, même s'ils mentent, ils nous enseignent quelque chose sur le passé.

J.-C.C. : Essayons de nous représenter un érudit au XVe siècle. Cet homme possède cent ou deux cents livres qui aujourd'hui, pour certains, peuvent être en notre possession. Il a aussi chez lui, sur ses murs, cinq ou six gravures représentant Jérusalem, Rome, des gravures très imparfaites. Il a du monde une représentation lointaine et vague. S'il veut vraiment connaître la Terre, il doit voyager. Les livres sont beaux, mais insuffisants et, comme vous le dites, souvent faux.

U.E. : Même dans la *Chronique de Nuremberg*, histoire illustrée du monde depuis la Création jusqu'aux années 1490, la même gravure est parfois utilisée plusieurs fois pour représenter des villes différentes. Ce qui veut dire que le souci de l'imprimeur est davantage d'illustrer que d'informer.

J.-C.C. : Nous avons constitué, avec ma femme, une collection qu'on pourrait nommer « Le voyage en Perse ». Les premiers ouvrages remontent au XVIIe siècle. Un des premiers, et des plus connus, est celui de Jean Chardin, daté de 1686. Un autre exemplaire du même livre, publié quarante ans plus tard, est un in-octavo, c'est-à-dire un petit format en plusieurs tomes. Dans le tome IX est enchâssé un dépliant sur les ruines de Persépolis qui doit bien faire, quand on le déplie, trois mètres de long : des planches gravées sont collées les unes à la suite des autres, et il faut renouveler l'exploit pour chaque exemplaire ! C'est un travail inimaginable.
Ce même texte est réimprimé une nouvelle fois au XVIIIe siècle avec exactement les mêmes gravures. Et une autre fois encore, cent ans plus tard, comme si cette Perse n'avait connu en deux siècles aucune espèce de transformation. Nous sommes maintenant à l'époque romantique. Rien, en France, ne ressemble au siècle de Louis XIV. Mais la Perse,

dans les livres, est restée inchangée, immuable. Comme si elle était figée dans une certaine série d'images, comme si elle était incapable de changer, décision d'éditeur qui est en fait un jugement de civilisation, d'histoire. On continue ainsi à publier en France, jusqu'au XIXᵉ siècle, comme livres scientifiques des ouvrages écrits et imprimés deux cents ans plus tôt !

U.E. : Les livres sont parfois fautifs. Mais parfois ce sont nos erreurs ou délires interprétatifs qui sont en jeu. J'ai écrit dans les années soixante un canular (publié dans *Pastiches et Postiches*). J'imaginais une civilisation du futur trouvant ensevelie dans un lac une boîte en titane contenant des documents mis en lieu sûr par Bertrand Russell à l'époque où il organisait les marches antiatomiques et où nous étions littéralement obsédés, plus qu'aujourd'hui, par la menace d'une destruction nucléaire (ce n'est pas que la menace ait diminué, au contraire, mais nous en avons pris l'habitude). Le canular tenait au fait que les documents sauvés étaient en réalité des textes de chansonnettes. Les philologues du futur tentaient alors de reconstituer ce qu'avait été cette civilisation disparue, la nôtre, à partir de ces chansons, interprétées comme le sommet de la poésie de notre temps.

J'ai su par la suite que mon texte avait été discuté dans un séminaire de philologie grecque où les chercheurs se demandaient si les fragments des poètes grecs sur lesquels ils travaillaient n'étaient pas de même nature.

Il est en effet préférable de ne jamais reconstruire le passé en s'appuyant sur une seule source. D'ailleurs la distance temporelle rend certains textes imperméables à toute interprétation. J'ai une belle histoire à ce sujet. Il y a une vingtaine d'années, la NASA, ou une autre organisation gouvernementale américaine, se demandait où ensevelir exactement des déchets nucléaires, qui conservent comme on sait un pouvoir radioactif pour une durée de dix mille ans – en tout cas il s'agit d'un chiffre astronomique. Leur problème était que si le territoire pouvait être trouvé quelque part, ils ne savaient pas de quel type de signal il faudrait l'entourer pour en interdire l'accès.

N'avons-nous pas, en deux ou trois mille ans, perdu les clés de lecture de plusieurs langages? Si dans cinq mille ans les êtres humains disparaissent et que débarquent alors des visiteurs venus de l'espace lointain, de quelle manière leur expliquera-t-on qu'ils ne doivent pas s'aventurer sur le territoire en question? Ces experts ont chargé un linguiste et anthropologue, Tom Sebeok, d'étudier une forme de communication pour pallier ces difficultés. Après avoir examiné toutes les solutions possibles, la conclusion de Sebeok fut qu'il n'existait aucun langage, même pictographique, susceptible d'être compris en dehors du contexte qui l'avait vu naître. Nous ne savons pas interpréter de manière certaine les figures préhistoriques retrouvées dans les grottes. Même le langage idéographique peut ne pas être véritablement compris. La seule possibilité, selon lui, aurait été de constituer des confréries religieuses qui auraient fait circuler en leur sein un tabou, « Ne pas toucher ceci », ou bien, « Ne pas manger cela ». Un tabou peut traverser les générations. J'avais eu une autre idée, mais je n'avais pas été payé par la NASA et je l'ai gardée pour moi. Il s'agissait d'ensevelir ces déchets radioactifs de manière que la première couche soit très diluée et donc très peu radioactive, la seconde l'étant davantage, et ainsi de suite. Si par mégarde notre visiteur enfouissait la main dans ces déchets, ou bien ce qui lui servait de main, il n'aurait perdu qu'une phalange. S'il s'obstinait, il perdait probablement un doigt. Mais nous pouvons être sûrs qu'il n'aurait pas persévéré.

J.-C.C. : Nous avons découvert les premières bibliothèques assyriennes alors que nous ne connaissions rien de l'écriture cunéiforme. Toujours cette question de la perdition. Que sauver ? Que transmettre et comment transmettre ? Comment être sûr que le langage que j'utilise aujourd'hui sera compris demain et après-demain ? Il n'y a pas de civilisation concevable si elle ne se pose pas cette question. Vous évoquez cette situation où tous les codes linguistiques ont disparu et où les langues demeurent muettes et obscures. Nous pouvons aussi imaginer le contraire. Si je fais aujourd'hui sur un mur un graffiti qui n'a aucun sens, il se trouvera demain quelqu'un qui affirmera l'avoir déchiffré. Je me suis amusé durant une année à inventer des écritures. Je suis sûr que d'autres pourraient, demain, leur trouver un sens.

U.E. : Naturellement, parce qu'il n'y a rien comme l'insensé pour produire de l'interprétation.

J.-C.C. : Ou l'interprétation pour produire de l'insensé. C'est ici l'apport des surréalistes, qui travaillaient à rapprocher des mots sans aucune parenté, ou relation, pour faire éclore un sens caché.

U.E. : Nous trouvons la même chose en philosophie. La philosophie de Bertrand Russell n'a pas engendré autant d'interprétations que celle de Heidegger. Pourquoi ? Parce que Russell est particulièrement clair et intelligible, alors que Heidegger est obscur. Je ne dis pas que l'un avait raison et l'autre tort. Pour ma part, je me méfie des deux. Mais lorsque Russell dit une bêtise, il la dit d'une façon claire, tandis que Heidegger, même s'il dit un truisme, nous avons du mal à nous en apercevoir. Pour passer à l'histoire, pour durer, il faut donc être obscur. Héraclite le savait déjà...

Une petite parenthèse : savez-vous pourquoi les présocratiques n'écrivaient que des fragments ?

J.-C.C. : Non.

U.E. : Parce qu'ils vivaient au milieu de ruines. Blague à part, nous ne conservons souvent la trace de ces fragments qu'à travers les commentaires qu'ils ont suscités, parfois plusieurs siècles plus tard. La plus grande partie de ce que nous savons sur la philosophie des stoïciens, qui fut probablement une réalisation intellectuelle dont nous mesurons encore mal l'importance, nous la devons à Sextus Empiricus qui a écrit pour réfuter leurs idées. Nous connaissons de la même façon plusieurs fragments présocratiques à travers les écrits d'Aetius qui était un parfait imbécile. Il suffit de lire ses témoignages pour s'en rendre compte. Nous pouvons donc douter que ce qu'il nous a rapporté soit tout à fait fidèle à l'esprit des philosophes présocratiques. Il faudrait citer encore le cas des Gaulois sous la plume de César, celui des Germains sous celle de Tacite. Nous savons quelque chose de ces peuples à travers les témoignages de leurs ennemis.

J.-C.C. : Nous pourrions dire la même chose des Pères de l'Eglise parlant des hérétiques.

U.E. : C'est un peu comme si nous ne connaissions la philosophie du XXe siècle qu'à travers les encycliques de Ratzinger.

J.-C.C. : Le personnage de Simon le Mage m'a fasciné. Je lui ai consacré un livre, autrefois. Contemporain du Christ, il n'est connu que par *Les Actes des Apôtres*, c'est-à-dire par ceux qui l'ont déclaré hérétique et l'ont accusé de ce qu'on appelle la « simonie », autrement dit l'intention qui aurait été la sienne d'acheter à saint Pierre les pouvoirs magiques de Jésus. C'est là tout ce que nous savons de lui, ou à peu près. Mais qui était-il en réalité ? Des disciples le suivaient, on le disait faiseur de miracles. Il ne pouvait pas être le ridicule charlatan que ses ennemis nous présentent.

U.E. : Nous savons des bogomiles, des pauliciens, par leurs adversaires, qu'ils mangeaient les enfants. Mais on disait la même chose des Juifs. Tous les ennemis de n'importe qui ont toujours mangé des enfants.

J.-C.C. : Une grande partie de notre connaissance du passé qui le plus souvent nous est parvenue par des livres, est donc due à des crétins, des imbéciles ou des adversaires fanatisés. C'est un peu comme si, toutes traces du passé ayant disparu, nous n'avions pour le reconstituer que les œuvres de ces fous littéraires, ces génies improbables sur le sort desquels André Blavier s'est longuement penché.

U.E. : Un personnage de mon *Pendule de Foucault* se demande si on ne peut pas se poser le même genre de question à propos des évangélistes. Peut-être Jésus a-t-il dit tout autre chose que ce qu'ils nous ont rapporté.

J.-C.C. : Qu'il ait dit autre chose est même probable. Nous oublions souvent que les plus anciens textes chrétiens que nous possédions sont les *Epîtres de saint Paul.* Les Evangiles sont plus tardifs. Or la personnalité de Paul, le véritable inventeur du christianisme, est complexe. Il a eu, pense-t-on, quelques vifs échanges avec Jacques, le frère de Jésus, à propos de la circoncision qui est alors une question fondamentale. Parce que Jésus de son vivant, et Jacques après la mort de son frère, continuaient à aller au Temple. Ils restaient juifs. C'est Paul qui a séparé le christianisme du judaïsme et qui s'est adressé aux « Gentils », c'est-à-dire aux non-Juifs. C'est lui le père fondateur.

U.E. : Bien entendu, comme il était d'une intelligence supérieure, il a compris qu'il fallait vendre le christianisme aux Romains si on voulait donner à la parole de Jésus un large retentissement. C'est pour cette raison que, dans la tradition qui vient de Paul, et donc dans les Evangiles, Pilate est lâche, certes, mais n'est pas véritablement coupable. Les vrais responsables de la mort de Jésus étaient donc les Juifs.

J.-C.C. : Et Paul a compris, sans doute, qu'il ne réussirait pas à vendre Jésus aux Juifs comme un nouveau dieu, comme le seul dieu, parce que le judaïsme est une religion encore neuve à l'époque, forte, conquérante même, prosélyte, alors que la religion gréco-romaine est en pleine décadence. Cela n'est pas le cas de la civilisation romaine elle-même, laquelle transforme méthodiquement le monde antique, l'uniformise et impose aux peuples cette *pax romana* qui va durer des siècles. L'Amérique conquérante de Bush n'a jamais été capable de proposer au monde, à partir d'une civilisation bien définie, et valable pour tous, ce type de paix.

U.E. : Si nous pensons à des fous indiscutables, nous devons mentionner les télé-évangélistes américains. Un rapide coup d'œil le dimanche matin sur les chaînes américaines suffit à vous donner une idée de l'étendue et de la gravité du problème. Ce que décrit Sacha Baron Cohen dans *Borat* n'est évidemment pas le fruit de son imagination. Je me souviens que dans les années soixante, pour pouvoir enseigner à la Oral Roberts University dans l'Oklahoma (Oral Roberts était un de ces télé-évangélistes du dimanche), il fallait répondre à des questions comme : « *Do you speak in tongues?* » (« Avez-vous le don des langues ? »), ce qui sous-entend votre habilité à parler dans une langue que personne ne connaît mais que tout le monde comprend, phénomène décrit dans *Les Actes des Apôtres*. Un collègue a été accepté parce qu'il a répondu : « *Not yet.* » (« Pas encore. »)

J.-C.C. : J'ai en effet assisté à plusieurs offices aux Etats-Unis, avec imposition des mains, guérison factice, extase artificielle. C'est assez effrayant. Je me croyais par moments dans un asile d'aliénés. En même temps je ne crois pas qu'il faille trop s'inquiéter de ces phénomènes. Je me dis toujours que le fondamentalisme, l'intégrisme, le fanatisme religieux seraient graves, et même très graves, si Dieu existait, si Dieu, tout à coup, prenait le parti de ses dévots enragés. Mais jusqu'à présent, on ne peut pas dire qu'il se soit engagé aux côtés des uns ou des autres. Il me semble que ce sont là des mouvements ascendants puis descendants, dans la mesure où ils sont privés, forcément, de tout appui surnaturel et frappés dès le départ de nullité. Le danger est peut-être que les néo-créationnistes américains finissent par obtenir qu'on enseigne les « vérités » contenues dans la Bible comme des vérités scientifiques, et cela dans les écoles, ce qui serait une régression. Ils ne sont pas les seuls à vouloir ainsi imposer leurs vues. J'ai visité, il y a au moins quinze ans, rue des Rosiers, à Paris, une école rabbinique où des « professeurs » enseignaient que le monde avait été créé par Dieu il y a un peu plus de six mille ans, et que tous les vestiges préhistoriques avaient été disposés par Satan, pour nous tromper, dans les couches sédimentaires.

J'imagine que les choses n'ont guère changé. Nous pourrions rapprocher ces « enseignements » de celui de saint Paul brûlant la science grecque. La croyance est toujours plus forte que la connaissance, nous pouvons nous en étonner et le déplorer, mais c'est ainsi. Il serait excessif, cependant, de dire que ces enseignements pervers bouleversent le cours des choses. Non, les choses restent ce qu'elles sont. Il faut aussi rappeler que Voltaire était un élève des jésuites.

U.E. : Tous les grands athées sont sortis d'un séminaire.

J.-C.C. : Et la science grecque, même si on a tenté de la faire taire, a finalement triomphé. Même si le chemin de cette vérité est semé d'obstacles, de bûchers, de prisons, et parfois de camps d'extermination.

U.E. : La renaissance religieuse n'est pas liée à des périodes d'obscurantisme, au contraire. Elle fleurit dans les ères hyper-technologiques, comme la nôtre, elle correspond à la fin des grandes idéologies, à des périodes d'extrême dissolution morale. Nous avons alors besoin de croire à quelque chose. C'est à l'époque où l'Empire romain atteint sa plus grande puissance, lorsque les sénateurs s'affichent avec des prostituées et se mettent du rouge aux lèvres, que les chrétiens descendent dans les catacombes. Ce sont des mouvements de rééquilibrage plutôt normaux.

Il existe alors plusieurs expressions possibles de ce besoin de croire. Il peut se traduire par un intérêt pour la science des tarots, ou par l'adhésion à l'esprit New Age. Réfléchissons sur le retour de la polémique sur le darwinisme, non seulement de la part des fondamentalistes protestants mais aussi de celle des catholiques de droite (c'est en train de se passer en Italie). Depuis longtemps l'Eglise catholique ne se souciait plus de la théorie de l'évolution : on savait depuis les Pères de l'Eglise que la Bible parlait à travers des métaphores et que, par conséquent, les six jours de la Création pouvaient parfaitement correspondre à des ères géologiques. D'ailleurs la Genèse est très darwinienne. L'homme apparaît seulement après les autres animaux et il est fait avec de la boue. C'est donc à la fois un produit de la terre et le sommet d'une évolution.

La seule chose qu'un croyant voudrait sauver est que cette évolution n'a pas été casuelle mais le résultat d'un « dessein intelligent ». Cependant, la polémique actuelle ne concerne pas le problème du dessein, mais du darwinisme dans sa totalité. Nous avons donc assisté à une régression. Encore une fois, nous cherchons dans des mythologies le refuge aux menaces de la technologie. Et voilà que ce syndrome peut encore emprunter la forme d'une dévotion collective pour une personnalité comme Padre Pio !

J.-C.C. : Une rectification tout de même. Nous avons l'air de dénoncer la croyance comme mère de tous les crimes. Mais de 1933, date de l'arrivée de Hitler au pouvoir, à la mort de Staline, vingt ans plus tard, nous comptons sur notre planète près de cent millions de morts violentes. Plus, peut-être, que dans toutes les autres guerres de l'histoire du monde. Or le nazisme et le marxisme sont deux monstres athées. Lorsque le monde stupéfait se réveille après le massacre, il apparaît comme tout à fait normal de revenir à des pratiques religieuses.

U.E. : Mais les nazis criaient « *Gott mit uns* », « Dieu est avec nous », et ils pratiquaient une religiosité païenne ! Lorsque l'athéisme devient religion d'Etat comme en Union soviétique, il n'y a plus aucune différence entre un croyant et un athée. Tous les deux peuvent devenir des fondamentalistes, des talibans. J'ai écrit autrefois qu'il n'était pas exact que la religion était l'opium du peuple, comme l'a écrit Marx. L'opium l'aurait neutralisé, anesthésié, endormi. Non, la religion est la cocaïne du peuple. Elle excite les foules.

J.-C.C. : Disons, un mélange d'opium et de cocaïne. Il est vrai que l'intégrisme musulman semble reprendre aujourd'hui le flambeau de l'athéisme militant, et que nous pouvons regarder le marxisme et le nazisme, rétrospectivement, comme deux étranges religions païennes. Mais quels massacres !

Rien n'arrêtera la vanité

J.-P. de T. : *Le passé nous parvient déformé de toutes les manières possibles et surtout lorsque la bêtise se mêle de nous le transmettre. Vous avez insisté aussi pour dire que la culture aime à ne retenir que les pics de la création, les Himalayas, négligeant la quasi-totalité de ce qui n'a pas été vraiment à notre gloire. Pouvez-vous donner quelques exemples de cette autre catégorie de « chefs-d'œuvre » ?*

J.-C.C. : Me vient aussitôt à l'esprit un ouvrage extraordinaire en trois tomes, *La Folie de Jésus,* où l'auteur explique que ce personnage était en réalité « un dégénéré physique et mental ». L'auteur, Binet-Sanglé, était pourtant un professeur de médecine renommé, qui publia son essai au début du XXᵉ siècle, en 1908. Je cite quelques morceaux d'anthologie : « Ayant présenté une anorexie de longue durée et une crise d'hématidrose, mort prématurément sur la croix d'une syncope de déglutition facilitée par l'existence d'un épanche-

193

ment pleurétique vraisemblablement de nature tuberculeuse et siégeant à gauche... » L'auteur précise que Jésus était petit de taille et de poids, qu'il était originaire d'une famille de vignerons où on buvait du bon vin, etc. Bref, « depuis mille neuf cents ans, l'humanité occidentale vit sur une erreur de diagnostic ». C'est un livre de fou, mais composé avec un sérieux qui force le respect.

Je possède un autre joyau. Il s'agit d'un prélat français du XIXᵉ siècle qui est un jour frappé d'une illumination. Il se dit que les athées ne sont pas des pervers, non, ni des méchants. Ils sont tout simplement des fous. Le remède est donc très simple. Il faut les enfermer dans des asiles pour athées et les soigner. Pour cela, il faut les doucher à l'eau froide et leur imposer chaque jour la lecture de vingt pages de Bossuet. La plupart seront rendus à la santé.

L'auteur, qui s'appelait Lefebre, visiblement très allumé, alla présenter son livre aux grands aliénistes de son temps, Pinel, Esquirol, qui évidemment ne l'ont pas reçu. J'ai écrit un film de télévision, *Credo*, réalisé il y a vingt-cinq ans par Jacques Deray, en prenant l'exact contre-pied de ce prélat déréglé, décidé à enfermer et à doucher tous les athées. J'avais lu dans *Le Monde* un entrefilet disant qu'un professeur d'histoire de Kiev, en Ukraine, avait été arrêté par le KGB, interrogé, convaincu de folie et enfermé parce qu'il croyait en Dieu. J'ai imaginé tout l'interrogatoire.

194

U.E. : Il faudrait remonter bien en arrière. En travaillant à mon livre sur la recherche d'une langue parfaite, je suis tombé sur les linguistes fous, sur les auteurs de théories folles des origines du langage, parmi lesquels les plus amusants sont les nationalistes – selon lesquels la langue de leur pays avait été celle d'Adam. Pour Guillaume Postel, les Celtes descendaient de Noé. D'autres, en Espagne, ont fait remonter l'origine du castillan à Toubal, le fils de Japhet. Pour Goropius Becanus, toutes les langues dérivaient d'une langue primaire qui était le dialecte d'Anvers. Abraham Milius aussi a montré comment la langue hébraïque a engendré la langue teutonique, forme la plus pure du dialecte d'Anvers. Le baron de Ricolt soutenait que le flamand était la seule langue parlée dans le berceau de l'humanité. Toujours au XVIIe siècle, Georg Stiernhielm, dans son *De linguarum origine praefatio,* démontrait que le gothique, qui pour lui était l'ancien norvégien, était à l'origine de tous les langages connus. Un savant suédois, Olaus Rudbeck, dans son *Atlantica sive Mannheim vera Japheti posterorum sedes ac patria* (trois mille pages!), prétendait que la Suède avait été la patrie de Japhet et que le Suédois avait été le langage original d'Adam. Un des contemporains de Rudbeck, Andreas Kempe, a écrit une parodie de toutes ces théories, où Dieu parlait suédois, Adam danois, tandis qu'Eve était séduite par un serpent francophone. Pour arriver plus tard à Antoine de Rivarol, qui ne soutenait pas que la langue française était la langue originelle, certes, mais qu'elle était la plus rationnelle parce que l'anglais était trop compliqué, l'allemand trop brutal, l'italien trop confus, etc.

Après cela nous arrivons à Heidegger, qui affirme que la philosophie peut être faite seulement en grec et en allemand – et tant pis pour Descartes et pour Locke. Plus récemment il y a les pyramidologues. Le plus célèbre, Charles Piazzi Smyth, astronome écossais, avait trouvé dans la pyramide de Khéops toutes les mesures de l'univers. Le genre est très riche, relayé aujourd'hui par Internet. Tapez le mot « pyramide » sur Internet. La hauteur de la pyramide multipliée par un million représente la distance entre la Terre et le Soleil ; son poids multiplié par un milliard correspond au poids de la Terre ; en doublant la longueur des quatre côtés on obtient un soixantième de degré à la latitude de l'équateur : la pyramide de Khéops est donc à l'échelle de 1/43 200 de la Terre.

J.-C.C. : De la même façon que certains s'interrogent, par exemple, pour savoir si Mitterrand était la réincarnation de Thoutmosis II.

J.-P. de T. : *Même chose avec la pyramide en verre du Louvre recouverte, affirme-t-on, de 666 carreaux de verre, même si ce chiffre a régulièrement été démenti par ses concepteurs et par ceux qui y travaillent. Il est vrai que Dan Brown a confirmé ce chiffre...*

U.E. : Notre catalogue de folies pourrait continuer à l'infini. Par exemple, vous connaissez le célèbre docteur Tissot et ses recherches sur la masturbation comme cause de cécité, surdité, *dementia precox* et autres méfaits. J'ajouterais l'œuvre d'un auteur dont je ne me rappelle pas le nom, sur la syphilis comme maladie dangereuse parce qu'elle peut amener à la tuberculose.

Un certain Andrieu, en 1869, a publié un livre sur les inconvénients du cure-dents. Un monsieur Ecochoard a écrit sur les différentes techniques pour empaler, un autre, dit Foumel, en 1858 sur la fonction des coups de bâton, fournissant une liste d'écrivains et d'artistes célèbres qui avaient été bastonnés, de Boileau à Voltaire et à Mozart.

J.-C.C. : N'oubliez pas Edgar Bérillon, membre de l'Institut, qui en 1915 écrit que les Allemands défèquent en plus grosses quantités que les Français. C'est même au volume de leurs excréments qu'on reconnaît qu'ils sont passés ici ou là. Un voyageur peut ainsi savoir qu'il a franchi la frontière séparant la Lorraine du Palatinat en considérant, au bord de la route, la taille des étrons. Bérillon parle de la « polychésie de la race allemande ». C'est même le titre d'un de ses livres.

U.E. : Un sieur Chesnier-Duchen, en 1843, a élaboré un système pour traduire le français en

197

hiéroglyphes, qui pourrait être ainsi compris par tous les peuples. Un sieur Chassaignon écrit en 1779 quatre volumes intitulés *Cataractes de l'imagination, déluge de la scribomanie, vomissement littéraire, hémorragie encyclopédique, monstre des monstres*, et je vous laisse en imaginer le contenu (par exemple on y trouve un éloge de l'éloge et une réflexion sur les racines de la réglisse).

Le phénomène le plus curieux est celui des fous qui ont écrit sur les fous. Gustave Brunet, dans *Les Fous littéraires* (1880), ne fait aucune différence entre œuvres folles et œuvres sérieuses mais émanant de personnes qui ont souffert, probablement, de problèmes psychiatriques. Dans sa liste, très savoureuse d'ailleurs, il y a aussi bien Henrion qui, en 1718, avait présenté une dissertation sur la stature d'Adam, que Cyrano de Bergerac, Sade, Fourier, Newton, Poe et Walt Whitman. Dans le cas de Socrate, il reconnaissait qu'en effet il n'était pas un écrivain, n'ayant jamais écrit, mais qu'il convenait pourtant de classer parmi les fous quelqu'un qui confiait avoir un démon familier (il s'agissait clairement de monomanie).

Dans son livre sur les fous littéraires, Blavier cite (parmi mille cinq cents titres!) des apôtres de nouvelles cosmogonies, des hygiénistes qui célèbrent les avantages de la marche en arrière, un certain Madrolle qui traite de la théologie des chemins de fer, un Passon qui publie en 1829 une *Démonstration de l'immobilité de la Terre*, et le travail d'un certain Tardy qui, en 1878, démontre que la Terre tourne sur elle-même en quarante-huit heures.

J.-P. de T. : *Dans* Le Pendule de Foucault, *vous parlez d'une maison d'édition qui est ce qu'en anglais on appelle une* vanity press, *c'est-à-dire une maison qui publie des ouvrages à compte d'auteur. C'est là encore le lieu d'apparition de quelques autres chefs-d'œuvre...*

U.E. : Oui. Mais il ne s'agit pas d'une invention romanesque. Avant d'écrire ce roman, j'avais publié une enquête sur les éditions de ce type. Vous adressez votre texte à une de ces maisons qui ne tarit pas d'éloges sur ses qualités littéraires évidentes et vous propose de vous publier. Vous êtes bouleversé. Ils vous donnent à signer un contrat qui stipule que vous devrez financer l'édition de votre manuscrit, en échange de quoi l'éditeur s'emploiera à vous faire obtenir force articles et même, pourquoi pas, des distinctions littéraires flatteuses. Le contrat ne stipule pas le nombre de copies que l'éditeur devra imprimer, mais insiste pour dire que les invendus seront détruits « sauf si vous vous en portez acquéreur ». L'éditeur imprime trois cents copies, cent destinées à l'auteur qui les adresse à ses proches et deux cents aux journaux, lesquels s'empressent de les jeter à la poubelle.

J.-C.C. : Au simple vu du nom de l'éditeur.

U.E. : Mais la maison d'édition possède ses revues confidentielles, dans lesquelles des comptes rendus seront bientôt publiés à la gloire de ce livre « important ». Pour obtenir l'admiration de ses proches, l'auteur achète encore, disons, cent exemplaires (que l'éditeur s'empresse d'imprimer). Au bout d'un an, on lui fait savoir que les ventes n'ont pas été très bonnes et que le solde du tirage (qui était, on le lui apprend, de dix mille) va être détruit. Combien veut-il en acheter ? L'auteur est terriblement frustré à l'idée de voir disparaître son livre chéri. Alors il en achète trois mille. L'éditeur en fait aussitôt imprimer trois mille qui n'existaient pas jusque-là et les vend à l'auteur. L'entreprise est florissante puisque l'éditeur n'a strictement aucun frais de distribution.

Un autre exemple de *vanity press* (mais on pourrait citer un tas de publications semblables) est un ouvrage que je possède, le *Dictionnaire biographique des Italiens contemporains*. Le principe est que vous payez pour y figurer. Vous trouvez « Pavese Cesare, né le 9 septembre 1908 à Santo Stefano Belbo et mort à Turin, le 26 août 1950 », avec la mention : « Traducteur et écrivain ». Fini. Ensuite, vous trouvez deux pages entières sur un certain Paolizzi Deodato dont personne n'a jamais entendu parler. Et parmi ces anonymes célèbres figure peut-être le plus grand, un certain Giulio Ser Giacomi qui a commis un gros livre de 1500 pages, sa correspondance avec Einstein et Pie XII, ouvrage qui ne contient que les lettres qu'il a adressées à l'un et à l'autre, parce que, évidemment, aucun des deux ne lui a jamais répondu.

J.-C.C. : J'ai produit un livre « à compte d'auteur » mais sans espérer le vendre. Il parlait du comédien Jean Carmet. Composé après sa mort et destiné à quelques-uns de ses proches, je l'ai tapé sur mon ordinateur avec l'aide d'une collaboratrice. Ensuite nous l'avons fait brocher et tirer à cinquante exemplaires. Aujourd'hui, n'importe qui peut « faire » un livre. Le distribuer, c'est autre chose.

U.E. : Un quotidien italien, très sérieux d'ailleurs, offre à ses lecteurs d'éditer leurs textes à la demande et pour une somme assez négligeable. L'éditeur n'apposera pas son nom sur cette publication, car il ne veut pas répondre des idées de son auteur. Sans doute ce genre d'opération va-t-il réduire l'activité des *vanity press*, mais probablement augmenter l'activité des vaniteux. Rien n'arrêtera la vanité.

Mais il y a aussi le côté positif de l'histoire. Ces éditions sont anonymes, de la même manière que la libre circulation via Internet de textes par ailleurs non publiés sont la forme moderne du samizdat, la seule façon dont on peut diffuser ses idées sous une dictature et échapper ainsi à la censure. Tous les gens qui autrefois faisaient des samizdats à leurs risques et périls peuvent désormais mettre leurs textes en ligne sans grand danger.

D'ailleurs, la technique du samizdat est très ancienne. Vous trouvez des livres du XVII° siècle publiés dans des villes qui s'appellent Francopolis, ou quelque chose comme cela, villes évidemment inventées. Il s'agissait donc de livres qui pouvaient faire accuser leurs auteurs d'hérésie. Sachant cela, auteurs et imprimeurs en avaient fait des objets clandestins. Si vous avez dans votre bibliothèque un livre de cette époque qui ne comporte pas en page de titre le nom de l'éditeur, vous avez certainement affaire à un livre clandestin. Il n'en a pas manqué. Le maximum que vous pouviez faire, sous la dictature stalinienne, si vous étiez en désaccord avec l'opinion du parti, était de produire un samizdat. Votre texte parvenait à circuler plus ou moins de façon clandestine.

J.-C.C. : En Pologne, dans les années 1981-1984, des mains anonymes les glissaient sous les portes, la nuit.

U.E. : Le pendant informatique de cet exercice, dans des démocraties où, en principe, la censure n'existe pas, c'est le texte refusé par toutes les maisons d'édition et que son auteur met en ligne. J'ai connu de jeunes auteurs, en Italie, qui ont procédé de cette manière. A certains d'entre eux le procédé a porté chance. Un éditeur a lu un de leurs textes et les a appelés.

J.-P. de T. : *On a l'air de parier ici sur le flair infaillible des maisons d'édition. Nous savons bien qu'il n'en est rien. C'est une autre page amusante ou confondante de l'histoire du livre. Peut-être devons-nous en dire quelque chose. Les éditeurs sont-ils plus clairvoyants que leurs auteurs ?*

U.E. : Ils ont montré qu'ils pouvaient être parfois suffisamment stupides pour refuser certains chefs-d'œuvre. Il s'agit en effet d'un autre chapitre dans l'histoire des âneries. « Je suis peut-être un peu limité, mais je ne suis pas capable de comprendre pourquoi il faudrait consacrer trente pages pour raconter comment quelqu'un se tourne et se retourne dans son lit sans trouver le sommeil. » Il s'agit du premier rapport de lecture sur la *Recherche* de Proust. A propos de Moby Dick : « Il y a peu de chances qu'un tel ouvrage trouve à intéresser un public jeune. » A Flaubert, à propos de *Madame Bovary* : « Monsieur, vous avez enseveli votre roman dans un fatras de détails qui sont bien dessinés mais complètement superflus. » A Emily Dickinson : « Vos rimes sont toutes fausses. » A Colette, à propos de *Claudine à l'école* : « Je crains qu'on n'en vende pas plus de dix exemplaires. » A George Orwell au sujet de *La Ferme des animaux* : « Impossible de vendre une histoire d'animaux aux Etats-Unis. »

Pour le *Journal* d'Anne Frank : « Cette gosse ne semble pas avoir la moindre idée que son livre puisse n'être rien d'autre qu'un objet de curiosité. » Mais il n'y a pas seulement les éditeurs, il y a aussi les producteurs d'Hollywood. Voilà le jugement d'un *talent scout* à propos de la première performance de Fred Astaire, en 1928 : « Il ne sait pas jouer, il ne sait pas chanter, il est chauve et possède quelques rudiments dans le domaine de la danse. » Et à propos de Clark Gable : « Qu'est-ce que nous pouvons faire de quelqu'un qui a des oreilles pareilles ? »

J.-C.C. : Cette liste donne véritablement le vertige. Essayons d'imaginer, sur la masse de tout ce qui a été écrit et publié dans le monde, la part que nous avons retenue comme réellement belle, émouvante, inoubliable, ou simplement la liste des ouvrages dignes d'être lus. Un pour cent ? Un pour mille ? Nous avons une très haute idée du livre, nous le sacralisons volontiers. Mais en réalité, si nous y regardons bien, une ahurissante partie de nos bibliothèques est composée de livres écrits par des gens sans aucun talent, ou par des crétins, ou par des obsédés. Parmi les deux cent ou trois cent mille rouleaux que contenait la bibliothèque d'Alexandrie et qui sont partis en fumée, il y avait à coup sûr une vaste majorité d'âneries.

U.E. : Je ne crois pas que la bibliothèque d'Alexandrie contenait autant de livres. Nous exagérons toujours lorsque nous parlons des biblio-thèques de l'Antiquité, nous l'avons déjà dit. On a démontré que les bibliothèques parmi les plus fameuses du Moyen Age ne contenaient au plus que quatre cents livres! Il devait y en avoir davan-tage à Alexandrie, certes, puisqu'on raconte que lors du premier incendie, au temps de César, incendie qui n'avait alors touché qu'une aile, quarante mille rouleaux brûlèrent. En tout cas, nous devons nous garder de comparer nos bibliothèques avec celles de l'Antiquité. La production de papyrus ne peut pas être comparée à celle des livres imprimés. Il faut beaucoup plus de temps pour réaliser un rouleau ou un codex unique, écrit à la main, que pour imprimer un grand nombre d'exemplaires d'un même livre

J.-C.C. : Mais la bibliothèque d'Alexandrie est un projet très ambitieux, une bibliothèque d'Etat qui ne peut en rien se comparer à la bibliothèque privée d'un roi, même d'un grand roi, ou à celle d'un monastère. Alexandrie peut se comparer plutôt à Pergame dont la bibliothèque a brûlé, là aussi. Le destin de toute bibliothèque est peut-être de brûler un jour.

J.-P. de T. : *Mais nous savons désormais que le feu ne brûle pas que des chefs-d'œuvre.*

J.-C.C. : Consolation que nous croyons désor-mais acquise. Une majorité de livres insipides disparaissent dont certains, cependant, seraient tout à fait divertissants et d'une certaine façon instructifs. La lecture de ces livres-là nous a toujours beaucoup amusés dans notre vie. D'autres nous ont inquiétés si nous pensons à la santé mentale de leurs auteurs. Et nous avons aussi connu des livres mauvais, agressifs, chargés de haine, d'insultes, appelant au crime, à la guerre. Oui, des livres vraiment terrifiants. Des objets de mort. Si nous avions été éditeurs, aurions-nous publié *Mein Kampf*?

U.E. : Dans certains pays, il existe des lois contre les négationnistes. Mais il y a une différence entre le droit de ne pas publier un livre et celui de détruire ce livre une fois qu'il a été publié.

J.-C.C. : La veuve de Céline, par exemple, a toujours empêché qu'on réédite *Bagatelles pour un massacre*. A une époque, je m'en souviens, il était impossible de le trouver.

U.E. : Dans l'anthologie de mon *Histoire de la laideur*, j'avais choisi un morceau de *Bagatelles* à propos de la laideur du Juif pour les antisémites, mais quand l'éditeur a demandé les droits de reproduction, la veuve les a refusés. Cela n'empêche pas qu'on puisse trouver ce livre en version intégrale sur Internet, sur un site nazi, naturellement.

J'ai parlé des fous qui soutenaient la primauté chronologique de leur langage national. Mais voilà un autre candidat qui, à son époque, avait proposé des vérités à moitié justes et à moitié discutables. En tout cas il a été traité en hérétique et a évité le bûcher par miracle. Je pense au *Prae-Adamitae* d'Isaac de La Peyrère, auteur protestant du XVIIe siècle français. Il expliquait que le monde n'avait pas six mille ans, comme le disait la Bible, parce qu'on avait trouvé des généalogies chinoises qui attestaient une durée beaucoup plus longue. La mission du Christ, venu racheter l'humanité du péché originel, n'intéressait donc que le monde juif méditerranéen et non pas ces autres mondes qui n'avaient pas été touchés par le péché originel. C'est un peu le problème que soulevaient les libertins à propos de la pluralité des mondes. Si l'hypothèse de la pluralité des mondes était exacte, comment justifiait-on le fait que Jésus-Christ était venu sur la Terre et nulle part ailleurs ? A moins d'imaginer qu'il ait été crucifié sur une multitude de planètes...

J.-C.C. : Lorsque nous travaillions sur *La Voie lactée* avec Buñuel, film qui illustre les hérésies de la religion chrétienne, j'avais imaginé une scène que nous aimions beaucoup mais qui coûtait trop cher et ne figure pas dans le film. Une soucoupe volante se pose quelque part dans un grand fracas et le couvercle, ou le cockpit, se soulève. En sort une créature verte avec des antennes qui brandit une croix sur laquelle est clouée une autre créature verte avec des antennes.

207

Sans aller aussi loin, je reviens un instant aux conquistadors espagnols. Leur question, en débarquant en Amérique, était de savoir pourquoi on n'y avait jamais entendu parler du Dieu des chrétiens, de Jésus, du Sauveur. Le Christ n'avait-il pas dit : « Allez et enseignez toutes les nations » ?

Dieu n'avait pas pu se tromper en demandant à ses disciples d'enseigner la vérité nouvelle à tous les hommes. La conclusion logique était donc : ces êtres-là n'étaient pas des hommes. Comme l'a dit Sepulveda, « Dieu n'a pas voulu d'eux dans son royaume ». Certains, pour justifier tout de même l'humanité réelle des Indiens d'Amérique, sont allés jusqu'à inventer de fausses croix qu'ils auraient trouvées là-bas et qui auraient rendu compte de la présence d'apôtres chrétiens sur le continent avant l'arrivée des Espagnols. Mais la supercherie a été démasquée.

Eloge de la bêtise

J.-P. de T. : *Ainsi êtes-vous, si je ne me trompe, deux amoureux de la bêtise...*

J.-C.C. : Amoureux fidèles. Elle peut compter sur nous. Lorsque nous avons entrepris, dans les années soixante, avec Guy Bechtel, notre *Dictionnaire de la bêtise* qui a connu plusieurs éditions, nous nous sommes dit : Pourquoi ne s'attacher qu'à l'histoire de l'intelligence, des chefs-d'œuvre, des grands monuments de l'esprit? La bêtise, chère à Flaubert, nous semblait infiniment plus répandue, cela va de soi, mais aussi plus féconde, plus révélatrice et en un sens plus juste. Nous avons écrit une introduction que nous avons appelée « Eloge de la bêtise ». Nous proposions même de donner des « cours de bêtise ».

Tout ce qui a été écrit d'idiot sur les Noirs, les Juifs, les Chinois, les femmes, les grands artistes, nous paraît infiniment plus révélateur que les analyses intelligentes. Lorsque le très réactionnaire Monseigneur de Quélen, sous la Restauration, déclare en chaire de Notre-Dame, devant un auditoire d'aristocrates qui sont pour la plupart des émigrés revenus en France : « Non seulement Jésus-Christ était fils de Dieu, mais encore il était d'excellente famille du côté de sa mère », il nous dit beaucoup de choses, non seulement sur lui-même, ce qui n'aurait qu'un intérêt relatif, mais sur la société et la mentalité de son temps.

Je me souviens aussi de cette perle qu'on trouve chez Houston Stewart Chamberlain, antisémite notoire : « Quiconque prétend que Jésus-Christ était juif est ou ignorant ou malhonnête. »

U.E. : J'aimerais cependant que nous parvenions à une définition. C'est sans doute, pour notre sujet, d'une particulière importance ! J'ai fait une distinction, dans un de mes livres, entre l'imbécile, le crétin et le stupide. Le crétin ne nous intéresse pas. C'est celui qui amène sa cuillère vers son front au lieu de viser sa bouche, c'est celui qui ne comprend pas ce que vous lui dites. Son cas est réglé. L'imbécillité, elle, est une qualité sociale, et vous pouvez même l'appeler autrement puisque pour certains, « stupide » et « imbécile » sont la même chose. L'imbécile est celui qui va dire ce qu'il ne devrait pas dire à un moment déterminé. Il est l'auteur de gaffes involontaires. Le stupide est différent, son défaut n'est pas social mais logique. A première vue, on a l'impression qu'il raisonne de façon correcte. Il est difficile de reconnaître du

210

premier coup ce qui ne colle pas. C'est pourquoi il est dangereux.

Je dois donner un exemple. Le stupide va dire : « Tous les habitants du Pirée sont athéniens. Tous les Athéniens sont grecs. Donc tous les Grecs sont habitants du Pirée. » Vous avez le soupçon que quelque chose ne marche pas parce que vous savez qu'il y a des Grecs qui sont des Spartiates, par exemple. Mais vous n'êtes pas capable de démontrer où et comment il s'est trompé. Il vous faudrait connaître toutes les règles de la logique formelle.

J.-C.C. : Pour moi le stupide ne se contente pas de se tromper. Il affirme haut et fort son erreur, il la proclame, il veut que tous l'entendent. C'est même surprenant de voir combien la stupidité est claironnante. « Maintenant nous savons de source sûre que... » et suit une connerie énorme.

U.E. : Vous avez tout à fait raison. Si vous clamez avec insistance une vérité commune, banale, elle devient aussitôt une stupidité.

J.-C.C. : Flaubert dit que la bêtise c'est de vouloir conclure. L'imbécile veut parvenir de lui-même à des solutions péremptoires et définitives. Il veut clore à jamais une question. Mais cette bêtise, qui est souvent reçue comme une vérité par une certaine société, est pour nous, avec le recul de l'histoire, extrêmement instructive. L'histoire de la beauté et de l'intelligence à laquelle nous limitons notre enseignement, ou plutôt à laquelle d'autres ont limité notre enseignement, n'est qu'une très infime partie de l'activité humaine, nous l'avons dit. Peut-être même faudrait-il envisager – d'ailleurs, vous vous y appliquez – une histoire générale de l'erreur et de l'ignorance, en plus de la laideur.

U.E. : Nous avons parlé d'Aetius et de la manière dont il a rendu compte des travaux des présocratiques. Nul doute : ce type était stupide. Quant à la bêtise, après ce que vous en avez dit, il me paraît qu'elle n'est pas identique à la stupidité. Ce serait plutôt une manière de gérer la stupidité.

J.-C.C. : De façon emphatique, souvent déclamatoire.

U.E. : On peut être stupide sans être complètement bête. Stupide par accident.

J.-C.C. : Oui, mais alors on n'en fait pas métier.

U.E. : On peut vivre de la bêtise, c'est vrai. Dans l'exemple que vous citiez, dire que Jésus, du côté de sa mère, était d'une « excellente famille », n'est pas selon moi une absolue stupidité. Tout simplement parce que, du point de vue de l'exégèse, c'est vrai. Je crois que nous sommes ici résolument du côté de l'imbécillité. Je peux dire que quelqu'un est d'une

212

bonne famille. Je ne peux pas le dire de Jésus-Christ parce que c'est moins important, tout de même, que d'être fils de Dieu. Donc Quélen dit une vérité historique mais mal à propos. L'imbécile parle toujours à mauvais escient.

J.-C.C. : Je pense à cette autre citation : « Je ne suis pas d'une bonne famille. Mes enfants si. » A moins qu'il ne s'agisse d'un humoriste, voilà au moins un imbécile satisfait. Et revenons à Monseigneur de Quélen. Il s'agit tout de même d'un archevêque de Paris, d'un esprit certes très conservateur mais exerçant une grande autorité morale, à ce moment-là, en France.

U.E. : Alors corrigeons notre définition. La bêtise c'est une façon de gérer avec orgueil et constance la stupidité.

J.-C.C. : Oui, pas mal. Nous pourrions aussi enrichir nos entretiens de citations empruntées à tous ceux, et ils sont nombreux, qui ont cherché à démolir ceux que nous considérons aujourd'hui comme nos grands auteurs, ou artistes. Les insultes sont toujours beaucoup plus éclatantes que les louanges. Il faut admettre et comprendre ça. Un vrai poète se fraie son chemin à travers un orage d'insultes. La Cinquième de Beethoven était « un fracas d'obscénités », « la fin de la musique ». On ne se doute pas non plus des noms illustres qui figuraient dans cette guirlande d'insultes accrochées au cou de Shakespeare, Balzac, Hugo, etc. Et Flaubert lui-même disant de Balzac : « Quel homme aurait été Balzac s'il eût su écrire. »

Et puis il y a la bêtise patriotique, militariste, nationaliste, raciste. Vous pouvez vous pencher sur le *Dictionnaire de la bêtise* à l'article consacré aux Juifs. Les citations parlent moins de la haine que de la simple bêtise. De la bêtise méchante. Exemple : les Juifs ont naturellement le goût de l'argent. La preuve : lorsqu'une mère juive a un accouchement difficile, il suffit d'agiter près de son ventre des pièces d'argent pour que le petit enfant juif apparaisse les mains tendues. Cela fut écrit en 1888 par un certain Fernand Grégoire. Ecrit et publié. Et Fourier disant que les Juifs sont « la peste et le choléra du corps social ». Et Proudhon lui-même notant dans ses carnets : « Il faut renvoyer cette race en Asie, ou l'exterminer. » Ce sont des « vérités » offertes par des gens qui se disent souvent de science. Des « vérités » qui font froid dans le dos.

U.E. : Diagnostic : stupidité ou crétinisme ? Un cas d'épiphanie de l'imbécillité (dans le sens où je l'entends) est offert par Joyce lorsqu'il rapporte une conversation avec Mister Skeffington : « J'ai su que votre frère est mort », dit Skeffington. « Et il avait seulement dix ans », lui dit-on. Skeffington répond : « C'est quand même douloureux. »

214

J.-C.C. : La bêtise est souvent proche de l'erreur. C'est cette passion pour la bêtise qui m'a toujours rapproché de votre recherche du faux. Voilà deux chemins rigoureusement ignorés par l'enseignement. Chaque époque a sa vérité d'un côté et ses imbécillités notoires de l'autre, énormes, mais ce n'est que cette vérité que l'enseignement se charge d'enseigner, de transmettre. En quelque sorte, la bêtise est filtrée. Oui, il y a un « politiquement correct » et un « intelligemment correct ». Autrement dit, une bonne façon de penser. Que nous le voulions ou non.

U.E. : C'est le test du papier de tournesol qui permet de déterminer si nous sommes en présence d'un acide ou d'une base. Le test du tournesol nous permettrait de savoir, dans chacun de ces cas, si nous sommes en présence d'un stupide ou d'un imbécile. Mais pour revenir à votre rapprochement entre la bêtise et le faux : le faux n'est pas forcément l'expression de la stupidité ou de l'imbécillité. C'est tout simplement une erreur. Ptolémée croyait de bonne foi que la Terre était immobile. Il commettait une erreur faute d'informations scientifiques. Mais peut-être allons-nous découvrir demain que la Terre ne tourne pas autour du Soleil et nous rendrons alors hommage à la sagacité de Ptolémée.

Agir de mauvaise foi, c'est dire le contraire de ce qu'on croit vrai. Mais nous commettons toujours l'erreur de bonne foi. L'erreur traverse donc toute

215

l'histoire de l'humanité, et tant mieux, d'ailleurs, sinon nous serions des dieux. La notion de « faux », que j'ai étudiée, est en réalité très subtile. Il y a le faux qui résulte de l'imitation de quelque chose qualifié d'original et qui doit conserver avec son modèle une identité parfaite. Il y aura entre l'original et le faux une indiscernabilité, au sens leibnizien. L'erreur réside ici dans le fait d'attribuer une valeur de vérité à quelque chose qu'on sait être erroné. Il y a aussi le raisonnement faux de Ptolémée qui, parlant de bonne foi, se trompe. Mais il ne s'agit pas ici de faire croire que la Terre est immobile, parce que nous savons qu'en réalité elle tourne autour du Soleil. Non. Ptolémée croit vraiment que la Terre est immobile. La falsification n'a rien à voir avec ce que nous considérons avec le recul, s'agissant de Ptolémée, comme un savoir simplement erroné.

J.-C.C. : Avec cette précision qui ne va pas faciliter notre effort de définition : Picasso avouait qu'il pouvait faire lui aussi de faux Picasso. Il s'est même vanté d'avoir fait les meilleurs faux Picasso du monde.

U.E. : Chirico a avoué lui aussi avoir commis de faux Chirico. Et je dois avouer avoir moi-même produit un faux Eco. Un magazine satirique italien, une sorte de *Charlie Hebdo*, avait préparé un numéro spécial du *Corriere della Sera* à propos de l'arrivée des Martiens sur la Terre. Evidemment il s'agissait d'un faux. Ils m'ont demandé un faux article de moi-même, en forme de parodie de Eco.

J.-C.C. : C'est une manière de s'évader de soi-même, de sa chair, de sa matière. Sinon de son esprit.

U.E. : Mais d'abord de nous critiquer, de mettre en exergue nos poncifs, car ce sont ces poncifs que je vais devoir répéter pour « faire du Eco ». L'exercice qui consiste à produire un faux de soi-même est donc très sain.

J.-C.C. : Même chose pour cette enquête sur la bêtise qui nous a pris plusieurs années. Ce fut une longue période où, Bechtel et moi, nous ne lisions, avec acharnement, que de très mauvais livres. Nous épluchions les catalogues des bibliothèques et, à la lecture de certains titres, nous nous faisions une idée du trésor qui nous attendait. Lorsque vous découvrez dans votre liste un titre comme *De l'influence du vélocipède sur les bonnes mœurs,* vous pouvez être certain d'y trouver votre miel.

U.E. : Le problème se présente lorsque le fou interfère avec votre propre vie. Comme je l'ai déjà dit, j'ai consacré une enquête aux fous publiés par les *vanity press,* et il était évident pour moi que je résumais leurs idées avec ironie. Or certains d'entre eux n'ont pas perçu cette ironie et m'ont adressé un courrier pour me remercier d'avoir pris leur pensée au sérieux. Même chose avec le *Pendule de Foucault*, qui s'en prenait aux « porteurs » de vérité et qui a suscité parfois chez eux des manifestations d'enthousiasme inattendues. Je reçois encore (ou mieux, ma femme ou ma secrétaire qui les filtrent) des coups de fil de la part d'un certain Grand Maître des Templiers.

J.-C.C. : Je vous cite, pour rire un peu, une lettre publiée dans notre *Dictionnaire de la Bêtise*, et vous en comprendrez tout de suite la raison. Nous l'avons trouvée dans la *Revue des Missions apostoliques* (oui, nous avons lu même ça). Un prêtre remercie son interlocuteur de lui avoir fait parvenir une eau miraculeuse, laquelle a eu sur « le malade » une influence très positive, mais « à son insu ». « Je lui en ai fait boire sans qu'il s'en doutât pendant neuf jours, et lui qui, pendant quatre ans, était resté entre la vie et la mort, lui qui, pendant quatre ans aussi, m'avait résisté avec une opiniâtreté désespérante et des blasphèmes qui font frémir, expira doucement après sa neuvaine, dans les sentiments d'une pitié d'autant plus consolante qu'elle était moins attendue. »

U.E. : La difficulté que nous éprouvons pour décider si ce type-là est un crétin, un stupide ou un imbécile vient du fait que ces catégories sont des types idéaux, des *Idealtypen*, comme diraient les

Allemands. Or nous trouverons la plupart du temps chez un même individu un mélange de ces trois attitudes. La réalité est bien plus complexe que cette typologie.

J.-C.C. : Je n'étais pas revenu sur ces questions depuis des années, mais je suis frappé de vérifier encore une fois combien l'étude de la bêtise est stimulante. Non seulement parce qu'elle remet en question la sacralisation du livre, mais parce qu'elle nous amène à découvrir que nous avons été, chacun de nous, à tout moment, capables de proférer des âneries semblables. Nous sommes toujours au bord de dire une stupidité. Ainsi cette phrase que je vous livre, émanant tout de même de Chateaubriand. Il parle de Napoléon, qu'il n'aimait guère, et il écrit : « C'est, en effet, un grand gagneur de batailles, mais hors de là, le moindre général est plus habile que lui. »

J.-P. de T. : *Pouvez-vous préciser cette passion que vous partagez pour ce qui dans l'humain rend compte toujours de ses limites, de ses imperfections ? Est-elle chez vous l'expression cachée d'une compassion ?*

J.-C.C. : A un moment donné de ma vie, vers trente ans, après en avoir terminé avec mes études supérieures et accompli le tour classique des humanités, il se produisit un déclic. J'étais soldat en Algérie pendant la guerre, en 1959-1960... Et là, soudain, j'ai découvert la totale inutilité, j'allais dire futilité, de ce qu'on m'avait appris. J'ai lu à ce moment-là des textes sur la colonisation, textes d'une stupidité et d'une violence dont je n'avais pas idée, que personne n'avait jamais mis sous mes yeux. J'ai commencé à me dire que j'aurais intérêt à sortir des sentiers trop battus pour découvrir les alentours, les terrains vagues, les buissons, même les marécages. Guy Bechtel, de son côté, avait fait le même chemin que moi. Nous nous étions connus en khâgne.

U.E. : Je crois que, d'une manière sensiblement différente, nous sommes bien sur la même longueur d'onde. J'ai écrit, dans le texte que vous m'aviez demandé comme conclusion à votre encyclopédie sur *La Mort et l'Immortalité*[1], que pour pouvoir accepter l'idée de notre fin, il fallait se convaincre que tous ceux qui restaient après nous étaient des cons et qu'il ne valait pas la peine de passer plus de temps avec eux. C'est une façon paradoxale d'avancer une vérité qui est que, durant toute notre vie, nous avons cultivé les grandes vertus de l'humanité. L'être humain est une créature proprement extraordinaire. Il a découvert le feu, bâti des villes, écrit de magnifiques poèmes, donné des interprétations du monde, inventé des images

---

1. *La Mort et l'Immortalité*, Encyclopédie des savoirs et des croyances, sous la dir. de Frédéric Lenoir et Jean-Philippe de Tonnac, Bayard, 2004.

mythologiques, etc. Mais, en même temps, il n'a pas cessé de faire la guerre à ses semblables, de se tromper, de détruire son environnement, etc. La balance entre la haute vertu intellectuelle et la basse connerie donne un résultat à peu près neutre. Donc, en décidant de parler de la bêtise, nous rendons en un certain sens hommage à cette créature qui est mi-géniale, mi-imbécile. Et dès que nous nous rapprochons de la mort, comme c'est notre cas à tous les deux, alors nous commençons à penser que la connerie l'emporte sur la vertu. C'est évidemment la meilleure manière de se consoler. Si un plombier vient pour réparer une fuite dans ma salle de bain, en me prenant beaucoup d'argent au passage et si, une fois parti, nous découvrons que la fuite est toujours là, je me consolerai en disant à ma femme : « C'est un crétin, sinon il ne réparerait pas, et fort mal, les baignoires qui fuient. Il serait professeur de sémiologie à l'université de Bologne. »

J.-C.C. : La première chose que l'on découvre en étudiant la bêtise c'est qu'on est un imbécile soi-même. Evidemment. On ne traite pas impunément les autres d'imbéciles sans se rendre compte que leur bêtise est précisément un miroir qu'ils nous tendent. Un miroir permanent, précis et fidèle.

U.E. : Ne tombons pas dans le paradoxe d'Epiménide qui dit que tous les Crétois sont des menteurs. Puisqu'il est crétois, il est menteur. Si un con

221

vous dit que tous les autres sont des cons, le fait qu'il soit un con n'empêche pas qu'il vous dise peut-être la vérité. Si maintenant il ajoute que tous les autres sont des cons « comme lui », alors il fait preuve d'intelligence. Ce n'est donc pas un con. Parce que les autres passent leur vie à faire oublier qu'ils le sont.

Existe aussi le risque de tomber dans un autre paradoxe qui a été énoncé par Owen. Tous les gens sont des cons, excepté vous et moi. Et vous, d'ailleurs, au fond, si j'y pense...

J.-C.C. : Notre esprit est délirant. Tous les livres que nous collectionnons vous et moi témoignent de la dimension proprement vertigineuse de notre imaginaire. Il est particulièrement difficile de distinguer la divagation et la folie d'un côté, de la bêtise de l'autre.

U.E. : Un autre exemple de stupidité qui me vient est celui de Nehaus, auteur d'un pamphlet sur les Rose-Croix écrit à l'époque où, en France, vers 1623, on s'interrogeait pour savoir s'ils existaient ou n'existaient pas. « Le seul fait qu'ils nous cachent qu'ils existent est la démonstration de leur exis-tence », affirme cet auteur. La preuve qu'ils existent est qu'ils nient exister.

J.-C.C. : C'est un argument que je me sens prêt à accepter.

J.-P. de T. : *Peut-être, c'est une proposition, pou-vons-nous regarder la bêtise comme un mal ancien que nos nouvelles technologies, accessibles à tous, contribue-raient à combattre? Pourriez-vous souscrire à ce diagnostic positif?*

J.-C.C. : Je me défends de regarder notre époque avec pessimisme. C'est trop facile, ça court les rues. Et pourtant... Je vous cite une réponse de Michel Serres à un journaliste qui l'interrogeait, je ne sais plus dans quelles circonstances, sur la décision de construire le barrage d'Assouan. Un comité avait été créé, rassemblant des ingénieurs hydrauliques, des spécialistes des différents matériaux, des béton-neurs, peut-être même des écologistes, mais il n'y avait là ni philosophe ni égyptologue. Michel Serres s'en étonnait. Et le journaliste s'étonnait qu'il s'en étonnât. « A quoi aurait bien pu servir un philoso-phe dans un tel comité? demanda-t-il. — Il aurait remarqué l'absence de l'égyptologue », répondit Michel Serres.

A quoi peut servir en effet un philosophe? Cette réponse n'a-t-elle pas un lien merveilleux avec notre sujet du moment, la bêtise? A quel âge de la vie, et de quelle manière, devons-nous rencontrer la stupidité, la vulgarité, l'entêtement idiot et cruel qui sont notre pain quotidien et avec lesquels nous devrons vivre? Il existe en France une sorte de débat – il y a des débats sur tout – à propos de l'âge auquel on pourrait s'initier à la philosophie. C'est aujourd'hui en terminale que nos lycéens la découvrent. Mais pourquoi pas plus tôt? Et pourquoi ne pas initier également les enfants à l'anthropologie, qui est une ouverture vers le relativisme culturel?

U.E. : Il est incroyable que dans le pays le plus philosophique au monde, l'Allemagne, on n'enseigne pas la philosophie au lycée. En Italie, en revanche, sous l'influence de l'historicisme idéaliste allemand, nous avons une initiation à l'histoire de la philosophie qui dure trois ans, ce qui est bien différent de ce qui est proposé en France où il s'agit d'une initiation à l'activité philosophique. Je crois qu'il n'est pas inutile de savoir quelque chose de ce que pensaient les philosophes, des présocratiques jusqu'à nos jours. Le seul risque pour l'étudiant naïf est de croire que celui qui pense en dernier a raison. Mais je n'ai pas idée de ce que produit sur les jeunes gens l'enseignement de la philosophie tel qu'il est conçu en France.

J.-C.C. : Je garde de cette année le sentiment d'avoir été totalement perdu. Le programme était divisé en plusieurs parties : philosophie générale, psychologie, logique et morale. Mais comment peut-on concevoir un manuel de philosophie? Et d'ailleurs, quid des cultures qui n'ont pas connu ce que nous appelons la philosophie? C'est la remarque sur l'anthropologie que je faisais à l'instant. La notion de « concept philosophique », par exemple, est purement occidentale. Essayez d'expliquer ce qu'est un « concept » à un Indien, même très raffiné, ou la « transcendance » à un Chinois! Et élargissons notre propos à la question de l'éducation sans prétendre évidemment la résoudre. Depuis la réforme dite de Jules Ferry, l'école en France est gratuite mais elle est aussi obligatoire pour tous. Ce qui veut dire que la République se doit d'apprendre la même chose à tous les citoyens, sans restriction, tout en sachant très bien qu'une majorité va décrocher en chemin, le but du jeu étant en définitive, par sélection, de former les élites qui dirigeront le pays. Système dont je suis un profiteur parfait : sans Jules Ferry, je ne serais pas là à parler avec vous. Je serais aujourd'hui un vieux paysan sans le sou du sud de la France. Qui sait ce que je serais d'ailleurs ?

Tout système éducatif, nécessairement, est un reflet de la société qui l'a vu naître, qui l'a élaboré, qui l'a imposé. Cependant, à l'époque de Jules Ferry, la société française et la société italienne étaient totalement différentes de ce qu'elles sont aujourd'hui. Sous la IIIᵉ République, 75 % des Français sont encore des paysans, les ouvriers représentent peut-être 10 ou 15 %, et ce que nous appelons les élites encore moins. Ces 75 % de paysans sont aujourd'hui 3 ou 4 % et le même principe éducatif est toujours en vigueur. Or, à l'époque de Jules Ferry, ceux qui ne parvenaient pas à faire quelque chose de leur scolarité trouvaient des emplois dans l'agriculture, l'artisanat, le monde ouvrier, la domesticité. Tous ces emplois ayant peu à peu disparu, au profit d'emplois dits de service, ou de cadres, ceux qui sont rejetés avant ou après le bac sont aujourd'hui en chute libre. Rien n'est là pour les accueillir, pour amortir cette chute. Notre société s'est métamorphosée et le système éducatif reste grosso modo le même, au moins dans ses principes.

Ajoutez que les femmes sont aujourd'hui beaucoup plus nombreuses à se lancer dans des études supérieures et qu'elles viennent disputer aux hommes un nombre d'emplois qui n'a pas augmenté dans les secteurs traditionnellement convoités. Pourtant, si les métiers de l'artisanat ne passionnent plus les foules, ils continuent à éveiller quelques vocations. J'ai été, il y a quelques années, membre d'un jury qui décernait des prix aux meilleurs candidats exerçant ce que nous appelons les métiers d'art, qui sont le sommet de l'artisanat. J'ai été stupéfait en découvrant les matières et les techniques que ces gens utilisaient et maîtrisaient, et leurs talents. Dans ce domaine en tout cas, rien n'est perdu.

U.E. : Oui, il y a dans nos sociétés, où le problème de l'emploi se pose à tous, des jeunes gens qui redécouvrent les métiers artisanaux. C'est un fait avéré en Italie et sans doute aussi en France et dans d'autres pays occidentaux. Lorsqu'il m'arrive de rencontrer ces nouveaux artisans et qu'ils remarquent mon nom sur ma carte de crédit, je m'aperçois bien souvent qu'ils ont lu certains de mes livres. Les mêmes artisans, il y a cinquante ans, puisqu'ils n'avaient pas suivi le parcours scolaire jusqu'à son terme, n'auraient probablement pas lu ces livres. Ceux-là ont donc poursuivi leur formation supérieure avant de s'adonner à un métier manuel.

Un ami me racontait qu'il avait dû, avec un collègue philosophe, prendre un jour un taxi à l'université de Princeton, à New York. Le chauffeur est, dans la version de mon ami, un ours dont le visage disparaît sous de longs cheveux hirsutes. Il engage la conversation pour savoir un peu à qui il a affaire. Ils expliquent alors qu'ils enseignent à Princeton. Mais le chauffeur veut en savoir davantage. Le collègue, un peu agacé, dit qu'il s'occupe de la perception transcendantale à travers l'*épochê*... et le chauffeur le coupe en lui disant : « *You mean Husserl, isn't it?* »

Il s'agissait, naturellement, d'un étudiant en philosophie qui faisait le *taxi driver* pour payer ses études. Mais à l'époque, un chauffeur de taxi connaissant Husserl était un spécimen tout à fait rare. Vous pouvez tomber aujourd'hui sur un chauffeur qui vous fait écouter de la musique classique et vous interroge sur votre dernier ouvrage de sémiotique. Ce n'est pas complètement surréaliste.

J.-C.C. : Ce sont dans l'ensemble de bonnes nouvelles, non ? Il me semble même que les périls écologiques, qui ne sont pas feints, loin de là, peuvent aiguiser notre intelligence et nous épargner de nous endormir trop longtemps et trop profondément.

U.E. : Nous pouvons insister sur les progrès de la culture, qui sont manifestes et touchent des catégories sociales qui en étaient traditionnellement exclues. Mais en même temps, il y a davantage de bêtise. Ce n'est pas parce que les paysans d'autrefois se taisaient qu'ils étaient bêtes. Etre cultivé ne signifie pas nécessairement être intelligent. Non. Mais aujourd'hui tous ces gens veulent se faire entendre et, fatalement, ils font entendre dans certains cas leur simple bêtise. Alors disons qu'une bêtise d'autrefois ne s'exposait pas, ne se faisait pas connaître, alors qu'elle vitupère de nos jours.

En même temps, cette ligne de partage entre intelligence et bêtise est sujette à caution. Lorsque je dois changer une ampoule, je suis un parfait crétin. Avez-vous en France des variations autour de « Combien faut-il de... pour changer une ampoule » ? Non ? Nous en avons en Italie une série considérable. Avant, les protagonistes étaient les citoyens de Cuneo, une ville du Piémont. « Combien faut-il de gens de Cuneo pour changer une ampoule ? » La solution est cinq : un qui tient l'ampoule et quatre qui font tourner la table. Mais l'histoire existe aussi aux Etats-Unis. « Combien de Californiens pour changer une ampoule ? — Quinze : un qui change l'ampoule et quatorze pour partager l'expérience. »

J.-C.C. : Vous parlez des gens de Cuneo. Cuneo est dans le nord de l'Italie. J'ai l'impression que pour chaque peuple, les gens très bêtes sont toujours au Nord.

U.E. : Bien entendu, car c'est au Nord qu'on trouve le plus de personnes qui souffrent d'un goitre, c'est au Nord que sont les montagnes qui symbolisent l'isolement, c'est du Nord encore que surgissaient les barbares qui allaient fondre sur nos villes. C'est la vengeance des gens du Sud qui ont moins d'argent, qui sont techniquement moins développés. Lorsque Bossi, le chef de la Ligue du Nord, un mouvement raciste, est descendu à Rome la première fois pour prononcer un discours, les gens brandissaient dans la ville des placards où on pouvait lire : « Lorsque vous viviez encore dans les arbres, nous étions déjà des tapettes. »
Les gens du Sud ont toujours reproché aux gens du Nord de manquer de culture. La culture est parfois le dernier ressort de la frustration technologique. Notez que désormais les gens de Cuneo ont été remplacés en Italie par les *carabinieri*. Mais nos gendarmes ont eu le génie de jouer de cette

réputation qui leur était faite. Ce qui était dans une certaine mesure une preuve de leur intelligence.

Après les gendarmes est venu le tour de Francesco Totti, le footballeur, qui a généré un véritable feu d'artifice. Totti a réagi en publiant un livre pour recueillir toutes les histoires qu'on racontait sur son compte et il a donné les bénéfices des ventes à des organisations caritatives. La source s'est tarie d'elle-même et chacun a révisé son jugement sur lui.

Internet ou l'impossibilité de la damnatio memoriae

J.-P. de T. : *Comment avez-vous vécu l'interdiction des* Versets sataniques *? Qu'une autorité religieuse parvienne à faire interdire un ouvrage publié en Angleterre est-il un signe tout à fait rassurant ?*

U.E. : Le cas de Salman Rushdie doit nous inspirer au contraire un grand optimisme. Pourquoi ? Parce qu'un livre qui était condamné par une autorité religieuse, dans le passé, n'avait aucune chance d'échapper à la censure. Quant à son auteur, il courait un risque presque certain d'être brûlé ou poignardé. Dans l'univers de la communication que nous avons tissé, Rushdie a survécu, protégé par tous les intellectuels des sociétés occidentales, et son livre n'a pas disparu.

J.-C.C. : Cependant, la mobilisation que le cas Rushdie a suscitée ne s'est pas vérifiée pour d'autres

231

écrivains condamnés par des fatwas et qui ont été assassinés, surtout au Moyen-Orient. Ce que nous pouvons dire simplement est que l'écriture a toujours été, et demeure, un exercice dangereux.

U.E. : Je reste pourtant convaincu que dans la société de la globalisation, nous sommes informés de tout et nous pouvons agir en conséquence. L'holocauste aurait-il été possible si Internet avait existé ? Je n'en suis pas certain. Tout le monde aurait su immédiatement ce qui se passait... La situation est la même en Chine. Même si les dirigeants chinois s'évertuent à filtrer ce à quoi les internautes peuvent avoir accès, l'information circule malgré tout, et dans les deux sens. Les Chinois peuvent savoir ce qui se passe dans le reste du monde. Et nous pouvons savoir ce qui se passe en Chine.

J.-C.C. : Pour mettre au point cette censure sur Internet, les Chinois ont conçu des procédés extrêmement sophistiqués mais qui ne fonctionnent pas à la perfection. Tout simplement parce que les internautes finissent toujours par trouver les parades. En Chine comme ailleurs, les gens utilisent leur téléphone portable pour filmer ce dont ils sont les témoins et faire circuler ensuite ces images dans le monde entier. Il va devenir de plus en plus difficile de cacher quelque chose. L'avenir des dictateurs est sombre. Ils devront agir dans une obscurité profonde.

U.E. : Je pense par exemple au sort d'Aung San Suu Kyi. Il est beaucoup plus difficile pour les militaires de la supprimer à partir du moment où elle fait l'objet d'une sollicitation quasiment universelle. Même chose pour Ingrid Betancourt, comme nous avons pu le voir.

J.-C.C. : N'essayons pas pour autant de laisser supposer que nous en avons terminé avec la censure et l'arbitraire dans le monde. Nous en sommes loin.

U.E. : D'ailleurs, si on peut éliminer la censure par soustraction, il est plus difficile de l'éliminer par addition. C'est typique des médias. Imaginez : un homme politique écrit une lettre à un journal pour expliquer qu'il n'est pas coupable de corruption comme on l'en accuse; le journal publie la lettre mais s'arrange pour placer juste à côté l'image de son auteur en train de manger une tartine à un buffet. C'est fait : nous avons devant nous l'image d'un homme qui dévore l'argent public. Mais on peut faire mieux. Si je suis un homme d'Etat sachant que doit paraître le lendemain une nouvelle très embarrassante pour moi, susceptible de faire la une des médias, je fais mettre une bombe à la gare centrale dans la nuit. Le lendemain, les journaux auront changé leurs gros titres.

Je me demande si la raison de certains attentats n'est pas de cet ordre-là. Ne nous lançons pas pour

233

autant dans les thèses du complot pour dire que les attentats du 11 septembre ne sont pas ce que nous croyons. Il y a suffisamment d'esprits échauffés de par le monde pour s'en charger.

J.-C.C. : Nous ne pouvons pas imaginer qu'un gouvernement ait accepté la mort de plus de trois mille concitoyens pour couvrir certains agissements. Ce n'est évidemment pas concevable. Mais il y a aussi un exemple très fameux en France, c'est celui de l'affaire Ben Barka. Mehdi Ben Barka, un homme politique marocain, avait été enlevé en France devant la brasserie Lipp et sans doute assassiné. Conférence de presse du général de Gaulle à l'Elysée. Tous les journalistes s'y pressent. Question : « Mon général, comment se fait-il qu'ayant été informé de l'enlèvement de Mehdi Ben Barka, vous ayez attendu quelques jours avant de communiquer l'information à la presse ? — C'est à cause de mon inexpérience », répond de Gaulle avec un geste de découragement. Tout le monde rit et la question est réglée. L'effet de diversion, dans ce cas, a fonctionné. Le rire l'a emporté sur la mort d'un homme.

J.-P. de T. : *Y a-t-il d'autres formes de censure qu'Internet rendrait désormais difficiles ou impossibles ?*

U.E. : Par exemple la *damnatio memoriae* imaginée par les Romains. Votée par le Sénat, la *damna-*

tio memoriae consistait à condamner quelqu'un, post mortem, au silence, à l'oubli. Il s'agissait d'éliminer son nom des registres publics, ou bien de faire disparaître les statues qui le représentaient, ou encore de déclarer néfaste le jour de sa naissance. D'ailleurs on a fait la même chose sous le stalinisme lorsqu'on éliminait des photos l'ancien dirigeant exilé ou assassiné. Ce fut le cas de Trotski. Il serait plus difficile aujourd'hui de faire disparaître quelqu'un d'une photo sans qu'on trouve immédiatement la vieille photo en libre circulation sur Internet. Le disparu ne le serait pas longtemps.

J.-C.C. : Mais il y a des cas d'oubli collectif « spontané » encore plus fort, me semble-t-il, que la gloire collective. Il ne s'agit pas d'une décision délibérée, comme dans le cas du Sénat romain. Il peut y avoir aussi des choix inconscients. Des sortes de révisionnismes implicites, d'expulsions en douceur. Il y a ainsi une mémoire collective comme il existe un inconscient collectif et un oubli collectif. Tel personnage, qui « a connu son heure de gloire », nous abandonne insensiblement, sans aucun ostracisme, sans aucune violence. Il s'en va de lui-même, discrètement, il rejoint le royaume des ombres, comme ces metteurs en scène de cinéma de la première moitié du XXᵉ siècle, dont je parlais. Et ce quelqu'un qui sort de nos mémoires, qui est doucement expulsé de nos livres d'histoire, de nos conversations, de nos commémorations, c'est exactement, à la fin, comme s'il n'avait jamais existé.

U.E. : J'ai connu un grand critique italien dont on disait qu'il portait malheur. Il existait une légende à son sujet et peut-être avait-il fini, lui-même, par en jouer. Encore aujourd'hui, il n'est jamais cité dans certains travaux où sa place ne peut pourtant pas être contestée. C'est une forme de *damnatio memoriae*. Pour ma part, je ne me suis jamais privé de le citer. Non seulement il se trouve que je suis l'être le moins superstitieux du monde, mais en plus de cela je l'admirais trop pour ne pas le faire savoir. J'ai même décidé un jour de me rendre chez lui par avion. Et comme il ne m'est rien arrivé de fâcheux, on m'a dit que j'étais entré sous sa protection. En tout cas, sauf une communauté de *happy few* dont je suis et qui continuent à en parler, sa gloire a été en effet éclipsée.

J.-C.C. : Il existe bien entendu plusieurs façons de condamner un homme, une œuvre, une culture au silence et à l'oubli. Nous en avons examiné quelques-unes. La destruction systématique d'une langue, telle que l'ont organisée les Espagnols en Amérique, est évidemment le meilleur moyen de rendre la culture dont elle est l'expression définitivement inaccessible et de pouvoir lui faire dire ensuite ce que l'on veut. Mais nous avons vu que ces cultures, que ces langues résistent. Il n'est pas simple de faire taire à jamais une voix, d'effacer à jamais un langage, et les siècles parlent à voix basse. Le cas Rushdie a de quoi nous donner à espérer, vous avez raison. C'est sans doute un des acquis les plus significatifs de cette société globalisée. La censure totale et définitive est maintenant pratiquement inconcevable. Le seul danger est que l'information qui circule devienne invérifiable et que nous soyons tous, un jour prochain, des informateurs. Nous en avons parlé. Informateurs bénévoles, plus ou moins qualifiés, plus ou moins partisans, qui, du même coup, seraient aussi des inventeurs, des créateurs d'informations, imaginant chaque jour le monde. Nous y viendrons peut-être, nous décrirons le monde selon nos désirs, que nous prendrons alors pour la réalité.

Pour y remédier – si nous le jugeons nécessaire, car après tout une information imaginée ne manquerait sans doute pas de charme –, cela suppose des recoupements sans fin. Et c'est la barbe. Un seul témoin n'est pas suffisant pour établir une vérité. C'est la même chose pour un crime. Il faut une convergence de points de vue, de témoignages. Mais la plupart du temps, l'information que demanderait ce travail colossal n'en vaut pas la peine. On laisse courir.

U.E. : Mais l'abondance des témoignages ne suffit pas forcément. Nous avons été témoins de la violence exercée par la police chinoise contre les moines tibétains. Cela a provoqué un scandale à l'échelle internationale. Mais si nos écrans continuent à montrer, pendant trois mois, des moines battus par la police, le public même le plus concerné, le plus susceptible de s'engager, s'en désintéressera. Il y a donc un seuil en deçà duquel l'information est perçue et au-delà duquel elle n'est plus qu'un bruit de fond.

J.-C.C. : Ce sont des bulles qui gonflent et crèvent. L'an passé, nous étions dans la bulle « moines persécutés au Tibet ». Nous avons été ensuite placés dans la bulle « Ingrid Betancourt ». Mais l'une et l'autre ont crevé. Puis est venue celle de la « crise des *subprimes* », puis de la catastrophe bancaire, ou boursière, ou des deux. Quelle sera la prochaine bulle ? Quand un cyclone terrifiant s'approche des côtes de Floride et qu'il perd soudain de sa force, je sens presque une déception chez les journalistes. Il s'agit pourtant, pour les habitants, d'une excellente nouvelle. Comment, dans ce grand réseau de l'information, l'information proprement dite se constitue-t-elle ? Qu'est-ce qui explique qu'une information fasse le tour de la planète et mobilise, pendant un temps déterminé, toutes nos attentions pour ne plus intéresser personne quelques jours plus tard ? Par exemple : je travaille avec Buñuel en Espagne sur le scénario de *Cet obscur objet du désir* en 1976, et nous recevons chaque jour les journaux. Nous apprenons soudain par la presse qu'une bombe a explosé au Sacré-Cœur à Montmartre! Stupeur et délectation. Personne n'a revendiqué l'attentat et la police enquête. Pour Buñuel, c'est une information capitale. Que quelqu'un ait placé une bombe dans l'église de la honte, église censée en effet « expier les crimes des communards », est une aubaine et une joie inespérée. Il y a d'ailleurs toujours eu des candidats pour tenter de détruire ce monument du déshonneur ou bien, comme les anarchistes le voulaient à une certaine période, pour le peindre en rouge.

Nous nous précipitons donc le lendemain sur les journaux, pour savoir ce qu'il en est. Plus un mot, rien. Jamais. Déception et frustration. Nous avons simplement ajouté dans notre scénario un groupe d'action violente baptisé Groupe d'action révolutionnaire de l'Enfant Jésus.

U.E. : Pour revenir à la censure par soustraction, une dictature qui voudrait éliminer toute possibilité d'accéder, via Internet, aux sources de connaissance, pourrait très bien répandre un virus pour parvenir à détruire toutes les données personnelles dans chaque ordinateur, et obtenir ainsi un gigantesque black-out de l'information. Peut-être la possibilité de tout détruire n'existe-t-elle pas, dans la mesure où nous stockons tous certaines informations sur les clés USB. Mais tout de même. Peut-être cette cyber-dictature parviendrait-elle à éliminer jusqu'à 80 % de nos réserves personnelles ?

J.-C.C. : Mais peut-être n'est-il pas nécessaire de tout détruire. De la même façon que je peux repérer dans mon document toutes les occurrences d'un mot par la fonction « rechercher » et les supprimer d'un seul « clic », pourquoi ne pas imaginer une censure informatique qui parviendrait à ne faire disparaître qu'un mot ou un groupe de mots, mais dans tous les ordinateurs de la planète ? Mais alors, quels mots nos dictateurs informatiques vont-ils choisir ? Il faut parier sur une riposte de la part des utilisateurs, bien entendu, comme chaque fois. La vieille histoire de l'attaque et de la défense sur un autre terrain. Et nous pouvons imaginer aussi une nouvelle Babel, une soudaine disparition des langues, des codes, de toutes les clés. Quel chaos !

J.-P. de T. . *Le paradoxe est, vous l'avez évoqué, que l'œuvre ou l'homme condamné au silence fasse de ce silence même une sorte de chambre d'écho et finisse par se trouver une place ainsi dans nos mémoires. Pouvez-vous revenir sur ce retournement du sort ?*

U.E. : Il faut prendre ici la *damnatio memoriae* dans un autre sens. Pour des raisons multiples et complexes – filtrages, accidents, incendies –, une œuvre ne parvient pas jusqu'à nous. Personne n'est responsable à proprement parler de sa disparition. Mais elle manque à l'appel. Et parce que l'œuvre a été commentée et saluée par de très nombreux témoins, elle se fait précisément remarquer par son absence. C'est le cas des œuvres de Xeusis dans l'Antiquité. Personne ne les a vues en dehors des contemporains de l'artiste, et pourtant nous en parlons encore aujourd'hui.

J.-C.C. : Lorsque Toutankhamon succède à Akhénaton, on efface au burin sur les temples le nom du pharaon défunt, déclaré hérétique. Et Akhénaton n'est pas le seul à avoir subi cet effacement. Les inscriptions s'effritent, les statues tombent. Je repense à cette admirable photographie de Koudelka : une statue de Lénine, allongée comme un immense cadavre sur un chaland, descend le Danube vers la mer Noire où elle va disparaître.

A propos des statues du Bouddha détruites en Afghanistan, il faut peut-être donner une précision. Pendant les premiers siècles qui ont suivi la prédication du Bouddha, on ne le représente pas. Il est montré par son absence. Des traces de pieds. Un fauteuil vide. Un arbre à l'ombre duquel il méditait. Un cheval avec une selle mais sans cavalier.

Ce n'est qu'à partir de l'invasion d'Alexandre le Grand qu'on commence, en Asie centrale, sous l'influence d'artistes grecs, à donner une apparence physique au Bouddha. Ainsi les talibans, sans le savoir, participaient à un retour à l'origine même du bouddhisme. Pour les vrais bouddhistes, ces niches aujourd'hui vides, dans la vallée de Bamiyan, sont peut-être plus éloquentes, plus pleines, qu'avant.

241

Ces actes terroristes, auxquels paraît parfois se réduire, aujourd'hui, la civilisation arabo-musulmane, en viendraient presque à masquer la grandeur qui fut la sienne. De la même manière que les sacrifices sanglants aztèques ont masqué pendant des siècles toutes les beautés de leur civilisation. Les Espagnols en ont largement amplifié l'écho au point que, lorsqu'ils voulurent faire disparaître les vestiges de la civilisation des vaincus, les sacrifices sanglants étaient à peu près tout ce que la mémoire collective en avait conservé. L'islam est guetté aujourd'hui par ce même péril : être réduit demain, dans nos proches mémoires, à cette seule violence terroriste. Car notre mémoire, comme notre cerveau, est réductrice. Nous procédons sans cesse par sélection et réduction.

La censure par le feu

J.-P. de T. : *Parmi les censeurs les plus redoutables de l'histoire des livres, il faut faire ici un sort particulier au feu.*

U.E. : Naturellement, et il faut citer immédiatement les bûchers où les nazis faisaient disparaître les livres « dégénérés ».

J.-C.C. : Dans *Fahrenheit 451*, Bradbury imagine une société qui a voulu s'émanciper de l'héritage encombrant des livres et a décidé de les brûler. 451 degrés Fahrenheit est très précisément la température à laquelle le papier brûle : car ce sont les pompiers qui sont chargés ici de brûler les livres.

U.E. : *Fahrenheit 451*, c'est aussi le titre d'une émission de la radio italienne. Mais il s'agit exactement du contraire : un auditeur téléphone pour expliquer qu'il ne peut pas trouver ou qu'il a perdu tel livre. Un autre appelle aussitôt pour dire qu'il en possède un exemplaire et qu'il est prêt à le céder. C'est un peu le principe d'abandonner un livre quelque part, dans un cinéma, dans le métro, après l'avoir lu, afin qu'il fasse le bonheur d'un autre. Cela dit, le feu accidentel ou volontaire accompagne l'histoire du livre depuis ses origines. Il serait impossible de citer toutes les bibliothèques qui ont brûlé.

J.-C.C. : Cela me rappelle une expérience à laquelle m'avait convié le musée du Louvre. Il s'agissait de choisir une œuvre et de la commenter, la nuit, devant un petit groupe de personnes. J'avais fait le choix d'un Lesueur, peintre français du début du XVIIᵉ siècle, *La Prédication de saint Paul à Ephèse*. On y voit saint Paul, debout sur une stèle avec une barbe et une robe. Il porte une robe : c'est exactement la vision d'un ayatollah d'aujourd'hui, le turban en moins. L'œil est enflammé. Quelques fidèles écoutent. En bas du tableau, tournant le dos au spectateur, à genoux, un serviteur noir brûle des livres. Je me suis rapproché du tableau pour voir quels livres étaient brûlés. Or ils comportent, cela se voit entre les pages, des figures et des formules mathématiques. L'esclave, sans doute nouvellement converti, brûlait donc la science grecque. Quel message, direct ou souterrain, a voulu nous transmettre le peintre? Je ne peux pas le dire. Mais l'image est tout de même extraordinaire. La foi arrive, on brûle la science. C'est plus qu'un filtrage, c'est une liquidation par les flammes. Le carré de l'hypoténuse doit disparaître pour toujours.

U.E. : Il y a même là une connotation raciste, puisque la destruction des livres est confiée à un Noir. Nous pensons que les nazis sont certainement ceux qui ont brûlé le plus de livres. Mais que savons-nous exactement de ce qui s'est passé au moment des croisades ?

J.-C.C. : Pires que les nazis, je crois que les plus grands fossoyeurs de livres ont été les Espagnols dans le Nouveau Monde. Et les Mongols, de leur côté, n'y sont pas allés non plus de main morte.

U.E. : A l'aube de la modernité, le monde occidental a été confronté à deux cultures encore inconnues, l'amérindienne et la chinoise. Or la Chine était un grand empire qu'on ne pouvait pas conquérir et « coloniser », mais avec lequel nous pouvions commercer. Les jésuites s'y sont rendus, non pour convertir les Chinois, mais pour favoriser le dialogue des cultures et des religions. Les contrées amérindiennes semblant au contraire peuplées de sauvages sanguinaires, elles ont été l'occasion d'un véritable pillage et même d'un effroyable génocide. Or la justification idéologique de ce double comportement s'appuie sur la nature des langages utilisés dans l'un et l'autre cas. On a défini les pictogrammes amérindiens comme une simple imitation des choses, dépourvue de toute dignité conceptuelle, tandis que les idéogrammes chinois représentaient des idées et donc étaient plus « philosophiques ». Nous savons aujourd'hui que l'écriture pictographique était bien plus sophistiquée que cela. Combien de textes pictographiques ont ainsi disparu ?

J.-C.C. : Les Espagnols faisant disparaître les vestiges d'extraordinaires civilisations ne se sont pas rendu compte qu'ils brûlaient des trésors. Et ce sont certains d'entre eux, en particulier ce moine étonnant, Bernardino de Sahagun, qui ont pressenti qu'il y avait là quelque chose à ne pas détruire, une partie essentielle de ce que nous appelons aujourd'hui notre héritage.

U.E. : Les jésuites qui allaient en Chine étaient des gens cultivés. Cortés ou surtout Pizarre étaient des bouchers animés par un projet culturicide. Les franciscains qui les accompagnaient considéraient les indigènes comme des bêtes sauvages.

J.-C.C. : Pas tous, heureusement. Pas Sahagun, ni Las Casas, ni Durán. Tout ce que nous savons sur la vie des Indiens avant la conquête, nous le leur devons. Et ils ont pris souvent des risques considérables.

U.E. : Sahagun était franciscain, mais Las Casas et Durán étaient dominicains. C'est curieux comme les clichés peuvent être faux. Les dominicains étaient les gens de l'inquisition, tandis que les franciscains étaient les champions de la douceur. Et voilà qu'en Amérique latine, comme dans un western, les franciscains ont joué le rôle des *bad guys,* les dominicains parfois celui des *good guys.*

J.-P. de T. : *Pourquoi les Espagnols ont-ils détruit certains édifices précolombiens et en ont-ils épargné d'autres?*

J.-C.C. : Parfois ils ne les ont pas vus, tout simplement. C'est le cas de la plupart des grandes cités mayas, alors abandonnées depuis plusieurs siècles et recouvertes par la jungle. Et aussi de Teotihuacán, plus au nord. La ville était déjà déserte au moment où les Aztèques sont arrivés dans la région, vers le XIIIe siècle. Cette obsession d'effacer toutes les traces écrites dit assez combien, pour l'envahisseur, un peuple sans écriture est à jamais un peuple maudit. On a découvert récemment en Bulgarie des objets d'orfèvrerie dans des tombes datées du deuxième et du troisième millénaire avant notre ère. Or les Thraces, comme les Gaulois, n'ont pas laissé d'écriture. Et les peuples sans écriture, ceux qui ne se sont pas nommés, ceux qui ne se sont pas racontés (même faussement), n'ont pas d'existence, même si leurs pièces d'orfèvrerie sont magnifiques, raffinées. Si vous voulez qu'on se souvienne de vous, il faut écrire. Ecrire et faire en sorte que vos écrits ne disparaissent pas dans quelque brasier. Je me demande parfois ce que les nazis avaient en tête lorsqu'ils brûlaient des livres juifs. Imaginaient-ils les faire disparaître tous, jusqu'au dernier ? N'est-ce pas une entreprise aussi criminelle qu'utopique ? N'était-ce pas plutôt une opération symbolique ?

A notre époque, sous nos yeux, d'autres manipulations ne laissent pas de me surprendre et de m'indigner. Comme j'ai l'occasion de me rendre souvent en Iran, il m'est arrivé de proposer à une agence connue d'emmener une petite équipe pour filmer le pays aujourd'hui, tel que je le connais. Le directeur de l'agence me reçoit et commence par me livrer son point de vue sur un pays qu'il ne connaît pas. Il me dit très exactement ce que je dois filmer. C'est donc lui qui décide des images que je dois rapporter d'un pays où il n'est jamais allé : des fanatiques qui se frappent la poitrine, par exemple, des drogués, des prostituées et ainsi de suite. Le projet ne s'est pas fait, inutile de le dire.

Nous voyons chaque jour à quel point l'image peut être trompeuse. Il s'agit de falsifications subtiles, d'autant plus difficiles à discerner qu'elles se présentent comme des « images », c'est-à-dire comme des documents. Et finalement, qu'on le croie ou non, rien n'est plus facile à travestir que la vérité.

Je me souviens, sur une chaîne de télévision, d'un documentaire sur Kaboul, une ville que je connais. Tous les plans étaient filmés en contre-plongée. On ne voyait que le sommet des maisons déchirées par la guerre et jamais les rues, les passants, les commerces. Venaient s'ajouter à cela les interviews de gens qui tous, unanimement, parlaient de l'état lamentable du pays. Et la seule illustration sonore, durant tout le documentaire, était un bruit de vent sinistre, de ceux qu'on entend dans les déserts de cinéma, mais monté en boucle. Il avait donc été choisi dans une sonothèque et ajouté à dessein, un peu partout. Le même bruit de vent, comme pouvait le reconnaître cette fois une « oreille exercée ». Alors même que les vêtements très légers que portaient les personnages filmés ne bougeaient absolument pas. Ce reportage était un pur mensonge. Un de plus.

U.E. : Lev Koulechov avait déjà montré de quelle manière les images se contaminent les unes les autres et comment il est possible de leur faire dire des choses très différentes. Le même visage d'un homme montré une première fois juste après la vision d'une assiette garnie de nourriture, puis une deuxième fois juste après qu'on a exposé un objet parfaitement dégoûtant, ne produira pas la même impression sur le spectateur. Dans le premier cas, le visage de l'homme exprime la convoitise, dans le second cas le dégoût.

J.-C.C. : Le regard finit par voir ce que les images veulent suggérer. Dans *Rosemary's Baby* de

249

Polanski, beaucoup de gens ont vu le bébé monstrueux à la fin, car il est décrit par les personnages qui se penchent sur son berceau. Mais Polanski ne l'a jamais filmé.

U.E. : Et beaucoup de gens, probablement, ont vu le contenu de la fameuse boîte orientale dans *Belle de jour*.

J.-C.C. : Naturellement. Lorsqu'on demandait à Buñuel ce qu'il y avait là-dedans, il répondait : « Une photographie de Monsieur Carrière. C'est pour ça que les filles sont horrifiées. » Un jour un inconnu m'appelle chez moi, toujours à propos du film, et me demande si j'ai déjà vécu au Laos. Je n'y avais pas mis les pieds, je le dis. Même question pour Buñuel et pareille dénégation. L'homme, au téléphone, est étonné. Pour lui, la fameuse boîte lui fait absolument songer à une ancienne coutume laotienne. Je lui demande alors s'il sait ce qu'il y a dans la boîte. Il me dit : « Evidemment ! — Je vous en prie, lui dis-je alors, apprenez-le-moi ! » Il m'explique que la coutume en question consistait, pour les femmes, à s'attacher de gros scarabées avec des chaînes en argent sur le clitoris pendant l'acte d'amour, le mouvement des pattes leur permettant de jouir plus lentement et délicatement. Je tombe un peu des nues et lui dis que nous n'avons jamais songé à enfermer un scarabée dans la boîte de *Belle de jour*. L'homme raccroche. Et je ressens aussitôt une terrible déception à l'idée même de savoir! J'avais perdu la saveur douce-amère du mystère.

Tout cela pour dire que l'image, où nous voyons souvent autre chose que ce qu'elle montre, peut mentir d'une manière encore plus subtile que le langage écrit, ou que la parole. Si nous devons garder une certaine intégrité de notre mémoire visuelle, il faut absolument apprendre aux générations futures à regarder les images. C'est même une priorité.

U.E. : Il existe une autre forme de censure dont nous sommes désormais passibles. Nous pouvons conserver tous les livres du monde, tous les supports numériques, toutes les archives, mais s'il y a une crise de civilisation qui fait que tous les langages que nous avons choisis pour conserver cette immense culture sont devenus tout d'un coup intraduisibles, alors cet héritage est irrémédiablement perdu.

J.-C.C. : C'est arrivé avec l'écriture hiéroglyphique. A partir de l'édit de Théodose Ier, en 380, la religion chrétienne est devenue religion d'Etat, unique et obligatoire dans tout l'Empire. Les temples égyptiens, entre autres, ont été fermés. Les prêtres, qui étaient les connaisseurs, les dépositaires de cette écriture, se voyaient désormais dans l'impossibilité de transmettre leur savoir. Ils devaient enterrer leurs dieux, avec qui ils vivaient

251

depuis des millénaires. Et avec leurs dieux, les objets du culte et le langage même. Une génération suffit pour que tout disparaisse. Et peut-être à jamais.

U.E. : Il a fallu quatorze siècles pour redécouvrir la clé de ce langage.

J.-P. de T. : *Revenons un moment sur la censure par le feu. Ceux qui brûlaient les bibliothèques de l'Antiquité croyaient peut-être avoir détruit toute trace des manuscrits qu'elles abritaient. Mais après l'invention de l'imprimerie, la chose est désormais impossible. Brûler un, deux, voire cent exemplaires d'un livre imprimé ne signifie pas qu'on fasse disparaître le livre pour autant. D'autres exemplaires se trouveront peut-être encore dispersés dans un très grand nombre de bibliothèques privées et publiques. A quoi servent alors les bûchers modernes comme tous ceux que les nazis ont allumés ?*

U.E. : Le censeur sait très bien qu'il ne fait pas disparaître tous les exemplaires du livre proscrit. Mais c'est une façon de s'ériger en démiurge capable de consumer le monde, et toute une conception du monde, dans le feu. L'alibi c'est bien de régénérer, de purifier une culture que certains écrits ont gangrenée. Ce n'est pas un hasard si les nazis parlaient d'« art dégénéré ». L'autodafé est comme une sorte de médication.

J.-C.C. : Cette image de publication, diffusion, conservation et destruction est assez bien illustrée en Inde à travers la figure du dieu Shiva. Inscrit dans un cercle de feu, une de ses quatre mains tient le tambour au rythme duquel le monde a été créé, l'autre le feu qui va détruire tout l'ouvrage de la création. Les deux mains sont au même niveau.

U.E. : Nous ne sommes pas éloignés de la vision d'Héraclite et de celle des stoïciens. Tout naît par le feu et le feu détruit tout afin que tout soit à nouveau promis à l'être. C'est dans ce sens qu'on a toujours préféré brûler les hérétiques plutôt que de leur couper la tête, ce qui eût été plus simple et moins onéreux. C'est un message adressé à ceux qui partagent les mêmes idées ou possèdent les mêmes livres.

J.-C.C. : Prenons le cas de Goebbels, probablement le seul intellectuel parmi les nazis qui soit également bibliophile. Vous aviez raison en rappelant que ceux qui brûlent les livres savent très bien ce qu'ils font. Il faut estimer la dangerosité d'un écrit pour vouloir le faire disparaître. En même temps, le censeur n'est pas fou. Ce n'est pas en brûlant quelques exemplaires du livre mis à l'index qu'il le fera disparaître. Il le sait parfaitement. Mais le geste reste hautement symbolique. Et surtout, il dit aux autres : vous avez le droit de brûler ce livre, n'hésitez pas, c'est une bonne action.

J.-P. de T. : *C'est comme brûler le drapeau des Etats-Unis à Téhéran ou ailleurs...*

J.-C.C. : Bien entendu. Un seul drapeau brûlé suffit pour faire connaître la détermination d'un mouvement, sinon d'un peuple. Et pourtant, comme nous l'avons vu maintes fois déjà, le feu ne parvient jamais à tout réduire au silence. Même parmi les Espagnols qui se sont employés à éradiquer toute trace de plusieurs cultures, certains moines tentaient de sauver quelques spécimens. Bernardino de Sahagun, déjà cité – mais nous ne le citerons jamais assez –, faisait recopier par des Aztèques, parfois en cachette, des livres qui étaient par ailleurs jetés au feu. Et il demandait à des peintres indigènes de les illustrer. En revanche, ce malheureux n'a jamais vu de son vivant son œuvre publiée, tout simplement parce que le pouvoir, un jour, a ordonné de saisir ses écrits. Homme naïf, il a même proposé de livrer aussi ses brouillons. Heureusement, cela ne s'est pas fait. C'est à partir de ces brouillons, pour l'essentiel, que, deux siècles plus tard, a été publié presque tout ce que nous savons des Aztèques.

U.E. : Les Espagnols ont pris le temps pour détruire les vestiges d'une civilisation. Mais le nazisme, lui, n'a duré que douze ans !

J.-C.C. : Et Napoléon onze ans. Et Bush huit, pour le moment. Même si nous ne pouvons pas comparer, je l'entends bien. Je me suis une fois « amusé », je l'ai dit, à prendre vingt ans de l'histoire du XXe siècle, de 1933, arrivée d'Hitler au pouvoir, à 1953, qui marque la mort de Staline. Imaginez tout ce qui s'est passé durant ces vingt années. Seconde Guerre mondiale avec, en satellites, comme si le conflit généralisé ne suffisait pas, des tas de guerres secondaires, avant, pendant et après : guerre d'Espagne, guerre d'Ethiopie, guerre de Corée et je vais sûrement en oublier quelques-unes. C'est le retour de Shiva. Je vous ai parlé de deux mains sur quatre. Tout ce qui est né sera détruit. Mais la troisième main fait le geste de *abaya*, qui veut dire : « Pas de peur », car – quatrième main – « grâce à la force de mon esprit, j'ai déjà décollé un de mes pieds du sol ». C'est une des images les plus complexes que l'humanité nous ait données à interpréter. Si vous la comparez à celle du Christ sur sa croix, qui est l'image d'un agonisant devant laquelle notre culture s'est prosternée, cette dernière paraît très simple. C'est peut-être paradoxalement ce qui a fait sa force.

U.E. : Je reviens au nazisme. Il y a quelque chose de curieux dans sa croisade contre les livres. L'inspirateur de la politique culturelle du nazisme était Goebbels, qui maîtrisait parfaitement les nouveaux outils de l'information et a eu l'idée que la radio allait devenir le vecteur par excellence de toute communication. Combattre la communication des livres par la communication des médias... Prophétique.

J.-C.C. : Comment passe-t-on des livres brûlés par les nazis au Petit Livre rouge de Mao et à cette ferveur qui a soulevé, pendant quelques années, un peuple d'un milliard d'êtres humains ?

U.E. : L'idée de génie de Mao a été d'abord d'avoir fait du Petit Livre rouge un étendard qu'il suffisait de brandir. Pas nécessaire de le lire. Ou mieux, puisqu'il savait que les textes sacrés ne sont pas lus de la première à la dernière page, il a proposé des extraits désordonnés, des aphorismes qu'on pouvait apprendre par cœur et réciter comme des mantras ou des litanies.

J.-C.C. : Mais comment en est-on arrivé là, à cette obsession apparemment stupide de tout un peuple qui brandit un livre rouge ? Pourquoi ce régime marxiste, collectiviste, met-il le livre au-dessus de tout ?

U.E. : Nous n'avons rien su, très précisément, de la Révolution culturelle et de la manière dont les masses ont été manipulées. J'ai participé en 1971 à un volume collectif sur les bandes dessinées chinoises. Un journaliste qui était en Chine avait com-

mencé à recueillir tout un matériau sur lequel nous
ne savions rien. Il s'agissait de bandes dessinées qui
imitaient le style anglais, mais aussi des romans-
photos. Ces œuvres qui datent de la Révolution
culturelle ne laissent nullement supposer ce qui se
passait alors en Chine. Au contraire, elles étaient
pacifistes, s'opposant à toute forme de violence,
favorables à la tolérance et à la compréhension
mutuelle. La même chose s'est passée avec le Petit
Livre rouge, qui apparaissait donc comme un
symbole non violent. Naturellement, on ne disait
pas que la glorification de CE petit livre impliquait
la disparition de tous les autres.

J.-C.C. : J'étais en Chine pendant le tournage du
Dernier Empereur de Bertolucci. J'y faisais un triple
reportage. Un sur le film lui-même, un autre sur la
renaissance du cinéma chinois pour le compte des
Cahiers du Cinéma, le dernier sur le réapprentissage
des instruments de musique traditionnelle chinoise,
à la demande d'un magazine musical français. Ma
rencontre la plus mémorable fut celle que je fis avec
le directeur de l'Institut des instruments de musique traditionnelle. Je l'ai interrogé pour savoir
exactement comment la pratique de ces instruments avait été abandonnée pendant la Révolution
culturelle. Il commençait à peine à pouvoir parler à
peu près librement. Il m'a raconté qu'on avait
d'abord fermé l'Institut et détruit la bibliothèque. Il
réussit, peut-être au risque de sa vie, à sauver quel-

ques ouvrages en les envoyant à des cousins en province. Quant à lui, on le muta dans un village pour y travailler comme paysan. Tous ceux qui avaient une spécialité ou des connaissances particulières devaient être neutralisés. C'était le principe même de la Révolution : tout savoir dissimule un pouvoir, il faut donc se débarrasser du savoir.

Cet homme arriva dans une communauté de paysans qui, tout de suite, se rendirent compte qu'il ne savait pas manier la pelle et la pioche. Ils l'invitèrent donc à rester à la maison. Et cet homme, le plus grand spécialiste de la musique traditionnelle chinoise, me dit : « Pendant neuf ans, j'ai joué aux dominos. »

Nous ne parlons pas des Espagnols en Amérique il y a quatre ou cinq siècles, ni des massacres perpétrés par les chrétiens durant les croisades. Non. Nous parlons de ce que nous avons connu de notre vivant. Et le pire n'est jamais forcément derrière nous. Dans son *Histoire universelle de la destruction des livres*, Fernando Baez revient sur la destruction de la bibliothèque de Bagdad qui, elle, date de 2003. Ce n'est d'ailleurs pas la première fois qu'**on** a voulu détruire une bibliothèque à Bagdad. Les Mongols déjà s'y étaient employés. Ce sont là des terres plusieurs fois envahies, plusieurs fois saccagées, et sur lesquelles de petites pousses finissent tout de même par réapparaître. Aux Xe, XIe et XIIe siècles, la civilisation musulmane est indéniablement la plus brillante. Or elle se trouve soudain attaquée, et des deux côtés. Par les croisades chrétiennes et la reconquête qui commence en Espagne d'un côté, par les Mongols de l'autre, qui prennent Bagdad au XIIIe siècle et qui rasent la ville. Les Mongols, nous l'avons dit, ont aveuglément détruit, mais les chrétiens n'ont pas été plus respectueux. Baez raconte que, durant leur séjour en Terre sainte, ils ont détruit quelque trois millions de livres.

U.E. : En effet, Jérusalem a été pratiquement détruite après que les croisés y sont entrés.

J.-C.C. : Même chose lorsque s'accomplit la reconquête espagnole à la fin du XVe siècle. Cisneros, le conseiller de la reine Isabelle de Castille, fait brûler tous les livres musulmans trouvés à Grenade en épargnant seulement quelques ouvrages de médecine. Baez dit que la moitié des poèmes soufis de cette époque auraient alors été brûlés. Nous ne devons pas toujours affirmer que ce sont les autres qui détruisent nos livres. Nous avons largement notre part dans cet anéantissement du savoir et de la beauté.

Cela dit, pour nous réjouir un moment au milieu de cette énumération de catastrophes, nous devons dire que le livre a connu des ennemis, et ce n'est pas le moins surprenant, parmi les auteurs de livres eux-mêmes. Et pas si loin de nous. Philippe Sollers a rappelé l'existence en France, autour des mouvements de 1968, d'un Comité d'action étudiants-écrivains, que je n'ai pas connu mais qui paraît assez cocasse. Il s'élevait avec ardeur contre l'enseignement traditionnel (c'était alors de rigueur) et appelait, non sans lyrisme, à un « savoir nouveau ». Maurice Blanchot militait dans ce comité qui appelait en particulier à la disparition du livre, accusé de maintenir le savoir prisonnier. Les mots devaient enfin s'affranchir du livre, de l'objet livre, s'en évader. Pour se réfugier où ? Ce n'était pas dit. Mais on écrivait tout de même : « Plus de livres, plus jamais de livres ! » Slogans qui étaient écrits et proférés par des écrivains !

U.E. : Pour en finir avec les bûchers des livres, nous devons citer ici ces auteurs qui ont voulu et parfois réussi à brûler leurs propres ouvrages...

J.-C.C. : Sans doute cette passion de détruire ce qui a été créé parle-t-elle de ces pulsions qui sont au plus profond de nous. Songeons en effet au désir fou de Kafka de brûler son œuvre au moment de sa mort. Rimbaud a voulu détruire *Une saison en enfer*. Borges a réellement détruit ses premiers livres.

U.E. : Virgile a demandé sur son lit de mort qu'on brûle *L'Enéide* ! Qui sait si dans ces rêveries de destructions il n'y avait pas l'idée archétypique d'une destruction par le feu qui annoncerait un recommencement du monde ? Ou plutôt l'idée selon laquelle je meurs et avec moi meurt le monde... C'est là où Hitler va se suicider après avoir mis le feu au monde...

J.-C.C. : Dans Shakespeare, lorsque Timon d'Athènes meurt, il s'écrie : « Je meurs, Soleil cesse de briller ! » On peut songer au kamikaze qui entraîne avec lui, dans sa propre mort, une partie de ce monde qu'il rejette. Mais il est vrai qu'en l'occurrence, qu'il s'agisse des kamikazes japonais lançant leurs avions contre la flotte américaine ou des auteurs d'attentats suicide, il s'agit plutôt de mourir pour une cause. J'ai rappelé quelque part que le premier kamikaze de l'histoire a été Samson. Il fait s'écrouler le temple où il a été enfermé et meurt en écrasant avec lui un grand nombre de Philistins. L'attentat suicide est à la fois le crime et le châtiment. J'ai travaillé à une époque avec le réalisateur japonais Nagisa Oshima. Il me disait que tout Japonais, dans son itinéraire de vie, passe toujours, à un moment donné, très près de l'idée et de l'acte du suicide.

U.E. : C'est le suicide de Jim Jones avec près d'un millier de disciples au Guyana. C'est la mort collective des Davidiens à Waco, en 1993.

J.-C.C. : Il faut de temps en temps relire *Polyeucte* de Corneille, qui met en scène un converti chrétien sous l'Empire romain. Il court au martyre et veut entraîner avec lui sa femme Pauline. Pour lui, pas de plus haut destin. Quel cadeau de noces !

J.-P. de T. : *Nous commençons à comprendre que créer une œuvre, la publier, la faire connaître n'est pas forcément le meilleur moyen de passer à la postérité...*

U.E. : En effet. Pour se faire connaître, il y a bien entendu la création (celle des artistes, des fondateurs d'empire, des penseurs). Mais si on n'a pas la capacité de créer, alors il reste la destruction, d'une œuvre d'art ou parfois de soi-même. Prenons le cas d'Erostrate. Il est passé à la postérité pour avoir détruit le temple d'Artémis à Ephèse. Comme on savait qu'il y avait mis le feu à seule fin que son nom passât à la postérité, le gouvernement athénien interdit qu'on prononçât désormais son nom. Cela n'a évidemment pas suffi. La preuve : nous avons retenu le nom d'Erostrate alors que nous avons oublié le nom de l'architecte du temple d'Ephèse. Erostrate a, bien entendu, de nombreux héritiers. Il faut mentionner parmi eux tous ces gens qui vont à la télé raconter qu'ils sont cocus. C'est une forme typique d'autodestruction. Pourvu qu'ils soient à la une, ils sont prêts à tout. C'est aussi le *serial killer* qui veut à la fin être découvert afin qu'on parle de lui.

J.-C.C. : Andy Warhol traduisait ce désir par son célèbre *Famous for fifteen minutes.*

U.E. : C'est cette même pulsion qui pousse le type qui se trouve derrière la personne qu'on filme à la télévision à agiter les bras pour être certain qu'on l'a bien vu. Cela nous paraît crétin, mais c'est son moment de gloire.

J.-C.C. : Les propositions que reçoivent les responsables d'émission sont souvent extravagantes. Certains affirment même qu'ils sont prêts à venir se tuer en direct. Ou à simplement souffrir, se faire fouetter, voire torturer. Ou à montrer leur femme faisant l'amour avec un autre. Les formes de l'exhibitionnisme contemporain semblent ne connaître aucune limite.

U.E. : Nous avons une émission à la télévision italienne, « La Corrida », qui propose à des amateurs de venir s'exprimer sous les huées d'un public déchaîné. Chacun sait qu'il va se faire massacrer et pourtant l'émission doit refuser chaque fois des milliers de candidats. Très peu se font des illusions sur leur talent, mais on leur offre une chance unique d'être vus par des millions de gens, alors ils sont prêts à tout pour ça.

Tous les livres que nous n'avons pas lus

J.-P. de T. : *Vous avez cité durant ces entretiens des titres nombreux, divers et souvent étonnants, mais une question, si vous me permettez : avez-vous lu ces ouvrages ? Un homme cultivé doit-il avoir nécessairement lu les livres qu'il est censé connaître ? Ou bien lui suffit-il de se faire son opinion, laquelle, une fois arrêtée, le dispense à tout jamais de les lire ? J'imagine que vous avez entendu parler de l'ouvrage de Pierre Bayard* Comment parler des livres que l'on n'a pas lus. *Parlez-moi donc des livres que vous n'avez pas lus.*

U.E. : Je peux commencer, si vous voulez. J'ai participé à New York à un débat avec Pierre Bayard et je crois que, sur ces questions, il dit des choses très justes. Il y a plus de livres dans ce monde que nous ne disposons d'heures pour en prendre connaissance. Il ne s'agit même pas de lire tous les livres qui ont été produits, mais seulement les livres les plus représentatifs d'une culture en particulier. Nous sommes donc profondément influencés par des livres que nous n'avons pas lus, que nous n'avons pas eu le temps de lire. Qui a réellement lu *Finnegans Wake*, je veux dire du premier au dernier mot ? Qui a vraiment lu la Bible, de la Genèse à l'Apocalypse ? En ajoutant les uns aux autres tous les extraits que j'ai lus, je peux me vanter d'en avoir lu un bon tiers. Mais pas davantage. Pourtant j'ai une idée assez précise de ce que je n'ai pas lu.

J'avoue que j'ai lu *Guerre et Paix* seulement à l'âge de quarante ans. Mais j'en savais l'essentiel avant de le lire. Vous avez cité le *Mahâbhârata* : jamais lu, même si j'en possède trois éditions en trois langues différentes. Qui a lu *Les Mille et Une Nuits* de la première page à la dernière ? Qui a lu vraiment le *Kâma-Sûtra* ? Pourtant tout le monde peut en parler, et certains le mettre en pratique. Le monde est donc plein de livres que nous n'avons pas lus mais dont nous savons à peu près tout. La question est donc de savoir comment nous connaissons ces livres. Bayard dit qu'il n'a jamais lu l'*Ulysse* de Joyce mais qu'il est en mesure d'en parler à ses étudiants. Il peut dire que le livre raconte une histoire qui se situe dans une seule journée, que le cadre est Dublin, le protagoniste un Juif, la technique employée le monologue intérieur, etc. Et tous ces éléments, même s'il ne l'a pas lu, sont rigoureusement vrais.

A la personne qui entre chez vous pour la première fois, découvre votre imposante bibliothèque et ne trouve rien de mieux que de vous demander :

« Vous les avez tous lus ? », je connais plusieurs façons de répondre. Un de mes amis répondait : « Davantage, monsieur, davantage. »

Pour ma part j'ai deux réponses. La première c'est : « Non. Ces livres-là sont seulement ceux que je dois lire la semaine prochaine. Ceux que j'ai déjà lus sont à l'université. » La deuxième réponse est : « Je n'ai lu aucun de ces livres. Sinon, pourquoi les garderais-je ? » Il y a bien entendu d'autres réponses plus polémiques pour humilier davantage encore et même pour frustrer l'interlocuteur. La vérité est que nous avons tous chez nous des dizaines, ou des centaines, voire des milliers (si notre bibliothèque est imposante) de livres que nous n'avons pas lus. Pourtant, un jour ou l'autre, nous finissons par prendre ces livres en main pour réaliser que nous les connaissons déjà. Alors ? Comment connaissons-nous des livres que nous n'avons pas lus ? Première explication occultiste que je ne retiens pas : des ondes circulent du livre à vous. Seconde explication : au cours des années il n'est pas vrai que vous n'avez pas ouvert ce livre, vous l'avez maintes fois déplacé, peut-être même feuilleté, mais vous ne vous en souvenez pas. Troisième réponse : durant ces années vous avez lu un tas de livres qui citaient ce livre-là, lequel a fini par vous devenir familier. Il y a donc plusieurs façons de savoir quelque chose des livres que nous n'avons pas lus. Heureusement, sinon où trouver le temps pour relire quatre fois le même livre ?

267

J.-C.C. : A propos des livres, dans nos bibliothèques, que nous n'avons pas lus, et que sans doute nous ne lirons jamais : il y a probablement chez chacun de nous l'idée de mettre de côté, de placer quelque part des livres avec lesquels nous avons un rendez-vous, mais plus tard, beaucoup plus tard, peut-être même dans une autre vie. Elle est terrible, la lamentation de ces mourants qui constatent que leur heure dernière est venue et qu'ils n'ont pas encore lu Proust.

U.E. : Lorsqu'on me demande si j'ai lu tel ou tel livre, par précaution je réponds toujours : « Vous savez, je ne lis pas, j'écris. » Alors tout le monde se tait. Il y a parfois des questions insistantes. « Avez-vous lu *Vanity Fair,* le roman de Thackeray ? » J'ai fini par céder à cette injonction et, à trois reprises, j'ai essayé de le lire. Mais le roman m'est tombé des mains.

J.-C.C. : Vous venez de me rendre un grand service car je m'étais promis de le lire. Merci.

U.E. : A l'époque où j'étais à l'université à Turin, je logeais dans une chambre au collège universitaire. Contre une lire que nous faisions glisser dans la main du chef de la claque, nous pouvions assister aux représentations données au théâtre communal. En quatre ans d'université, j'ai vu tous les chefs d'œuvre du théâtre ancien et contemporain. Mais comme le collège fermait ses portes à minuit et demi et que la soirée au théâtre finissait rarement à temps pour nous permettre de regagner nos chambres, j'ai vu tous les chefs-d'œuvre du théâtre sans les dernières cinq ou dix minutes. Plus tard j'ai fait la connaissance de mon ami Paolo Fabbri qui, lorsqu'il était étudiant, pour gagner un peu d'argent, contrôlait les billets à l'entrée du théâtre universitaire d'Urbino. Ainsi il ne pouvait assister au spectacle qu'un quart d'heure après le lever de rideau, une fois que tous les spectateurs étaient entrés. Il manquait donc le début, et moi la fin. Il nous fallait absolument nous apporter mutuellement assistance. C'est ce que nous avons toujours rêvé de faire.

J.-C.C. : Je me demande de la même façon si j'ai bien vu les films que je crois avoir vus. Sans doute ai-je vu des extraits à la télévision, lu des ouvrages qui en parlaient. J'en connais le résumé, des amis m'en ont parlé. Un trouble s'établit dans ma mémoire entre les films que je suis certain d'avoir vus, ceux que je suis certain de ne pas avoir vus et tous les autres. Par exemple *Les Niebelungen*, le film muet de Fritz Lang : j'ai devant moi des images de Siegfried tuant le dragon dans une forêt magnifique, construite en studio. Les arbres paraissaient faits de ciment. Mais ai-je vu ce film ? Ou seulement cet extrait-là ? Viennent ensuite les films que je suis sûr de ne pas avoir vus et dont je parle comme si je les avais vus. Quelquefois même avec un surcroît d'autorité. Nous nous trouvions un jour à Rome avec Louis Malle et des amis français et italiens. Une conversation s'engage sur le film de Visconti, *Il Gattopardo*. Nous sommes, Louis et moi, de deux avis différents et, comme nous sommes gens du métier, nous nous efforçons de faire prévaloir nos points de vue. L'un de nous deux aimait le film, l'autre le haïssait : je ne sais plus qui était pour, qui était contre. Peu importe. Toute la table nous écoute. Je suis soudain pris d'un doute et je demande à Louis : « As-tu vu ce film ? » Il me répond : « Non. Et toi ? — Moi non plus. » Les gens qui nous écoutaient se montrèrent indignés, comme si nous leur avions fait perdre leur temps.

U.E. : Lorsqu'il y a une chaire disponible dans une des universités italiennes, une commission nationale se réunit pour attribuer le poste au meilleur candidat. Chaque commissaire reçoit alors des montagnes de publications de tous les candidats. On raconte l'histoire d'un de ces commissaires dans le bureau duquel s'entassent ces documents. On lui demande quand exactement il trouvera le temps de les lire et il répond : « Je ne les lirai jamais. Je ne veux pas me laisser influencer par des gens que je suis censé juger. »

J.-C.C. : Il avait raison. Une fois lu le livre, ou vu le film, vous allez être tenu de défendre votre opinion personnelle alors que, si vous ne savez rien de l'œuvre, vous tirerez parti des opinions des autres dans leur pluralité, leur diversité, vous y chercherez les meilleurs arguments, vous lutterez contre votre paresse naturelle, et même contre votre goût qui n'est pas forcément le bon...

Il y a une autre difficulté. Je prends l'exemple du *Château* de Kafka que j'ai lu jadis. Mais j'ai vu par la suite deux films très librement adaptés du *Château*, dont celui de Michael Haneke, qui ont passablement déformé ma première impression et forcément brouillé mes souvenirs de lecture. Est-ce que je ne pense pas au *Château*, désormais, à travers les yeux de ces cinéastes ? Vous disiez que le théâtre de Shakespeare que nous lisions aujourd'hui est forcément plus riche que celui qu'il a écrit, parce que ces pièces ont absorbé toutes les grandes lectures et interprétations qui se sont succédé depuis que la plume de Shakespeare crissait rapidement sur le papier. Et je le crois. Shakespeare s'enrichit et se fortifie sans cesse.

U.E. : J'ai dit comment les jeunes gens en Italie découvraient la philosophie, non pas à travers l'activité philosophique comme en France, mais à travers l'histoire de la discipline. Je me souviens de mon professeur de philo, un homme extraordinaire. C'est grâce à lui que j'ai fait des études de philosophie à l'université. Il y a vraiment des éléments de la philosophie que j'ai compris par sa médiation. Il

271

est probable que cet excellent professeur n'avait pas pu lire tous les ouvrages auxquels son cours faisait référence. Cela veut donc dire que beaucoup des livres dont il me parlait, avec enthousiasme et compétence, lui étaient véritablement inconnus. Il ne les connaissait qu'à travers les histoires de la philosophie.

J.-C.C. : Lorsque Emmanuel Le Roy Ladurie était responsable de la Bibliothèque nationale, il s'est livré à une étude statistique assez étrange. Entre la constitution de la Bibliothèque nationale, à partir de la Révolution, mettons dans les années 1820, et nos jours, plus de deux millions de titres n'ont jamais été demandés. Pas une seule fois. Peut-être s'agit-il de livres sans aucun intérêt, des ouvrages de piété, des recueils d'oraisons, de sciences approximatives comme vous les aimez, de penseurs justement oubliés. Lorsqu'il s'est agi de constituer le fonds de la Bibliothèque nationale, au début, on amenait des tombereaux d'ouvrages, en vrac, dans la cour de la rue de Richelieu. Il fallait alors les recevoir, les classer, sans doute à la hâte. Après quoi les livres entraient pour la plupart dans un long sommeil, où ils sont encore.

Maintenant, je me place du côté de l'écrivain ou de l'auteur que nous sommes tous les trois. Savoir que nos livres traînent sur un rayonnage sans que personne songe à s'en emparer, n'est pas une idée très réconfortante. J'imagine que ce n'est pas,

Umberto, le cas de vos ouvrages! Quel est le pays qui leur réserve le meilleur accueil?

U.E. : En termes de tirage, c'est peut-être l'Allemagne. Si vous vendez deux cent ou trois cent mille exemplaires en France, c'est un record. En Allemagne il faut aller au-delà du million pour être bien considéré. Les tirages les plus bas, vous les trouvez en Angleterre. Les Anglais préfèrent en général emprunter les livres dans des bibliothèques. L'Italie, quant à elle, doit se situer immédiatement avant le Ghana. En revanche les Italiens lisent beaucoup de magazines, plus que les Français. C'est la presse, en tout cas, qui a trouvé un bon moyen de ramener des non-lecteurs vers les livres. Comment? Cela s'est passé en Espagne et en Italie, et non pas en France. Le quotidien offre à ses lecteurs, pour une somme très modeste, un livre ou un DVD avec le journal. Cette pratique a été dénoncée par les libraires mais elle a fini malgré tout par s'imposer. Je me souviens que, lorsque *Le Nom de la rose* a été ainsi proposé gratuitement en accompagnement du journal *La Repubblica*, le journal a vendu deux millions de copies (au lieu des 650 000 habituels) et mon livre a donc touché deux millions de lecteurs (et si on considère que le livre va peut-être intéresser toute la famille, disons prudemment quatre millions).

Il y avait là peut-être, en effet, de quoi inquiéter les libraires. Or, six mois plus tard, en contrôlant les ventes du semestre en librairie, on a vu que la vente de l'édition de poche n'avait diminué celles-ci que d'une façon insignifiante. Donc ces deux millions n'étaient tout simplement pas des gens qui fréquentaient habituellement les librairies. Nous avions gagné un public nouveau.

J.-P. de T. : *Vous exprimez l'un et l'autre un avis plutôt enthousiaste sur la pratique de la lecture dans nos sociétés. Les livres ne sont désormais plus réservés à des élites. Et s'ils se trouvent en compétition avec d'autres supports, toujours plus séduisants et performants, ils résistent et font la preuve que rien ne peut les remplacer. La roue, encore une fois, se révèle indépassable.*

J.-C.C. : Il y a vingt ou vingt-cinq ans, un jour, je prends le métro à la station Hôtel-de-Ville. Sur le quai se trouve un banc et sur ce banc un homme qui a posé près de lui quatre ou cinq livres. Il est en train de lire. Les métros passent. Je regarde cet homme qui ne s'intéresse à rien d'autre qu'à ses livres, et je décide de m'attarder un peu. Il m'intéresse. Je finis par m'approcher et une brève conversation s'engage. Je lui demande aimablement ce qu'il fait là. Il m'explique qu'il vient tous les matins à huit heures et demie et reste jusqu'à midi. Il sort alors, pendant une heure, pour aller déjeuner. Puis il regagne sa place et reste sur son banc jusqu'à dix-huit heures. Il conclut par ces mots que je n'ai

274

jamais oubliés : « Je lis, je n'ai jamais rien fait d'autre. » Je le quitte, car j'ai l'impression de lui faire perdre son temps.

Pourquoi le métro? Parce qu'il ne pouvait pas rester dans un café toute la journée sans consommer et sans doute ne pouvait-il s'offrir ce luxe. Le métro était gratuit, il y faisait chaud, et le va-et-vient des gens ne le dérangeait en aucune façon. Je me suis demandé, et je me demande encore, s'il s'agissait là du lecteur idéal ou d'un lecteur totalement perverti.

U.E. : Et que lisait-il?

J.-C.C. : C'était très éclectique. Romans, livres d'histoire, essais. Il me semble qu'il y avait chez lui davantage une sorte de dépendance au fait même de lire qu'un réel intérêt pour ce qu'il lisait. On a dit que la lecture est un vice impuni. Cet exemple montre qu'elle peut devenir une véritable perversion. Peut-être même un fétichisme.

U.E. : Lorsque j'étais enfant, une voisine me donnait un livre chaque année pour Noël. Un jour elle m'a demandé : « Dis-moi Umbertino, tu lis pour savoir ce qu'il y a dans le livre que tu lis ou pour l'amour de lire? » Et j'ai dû admettre que je n'étais pas toujours passionné par ce que je lisais. Je lisais pour le goût de lire, n'importe quoi. C'est une des grandes révélations de mon enfance!

J.-C.C. : Lire pour lire, comme vivre pour vivre. Nous connaissons aussi des gens qui vont au cinéma pour voir des films, c'est-à-dire des images qui bougent, dans un certain sens. Peu importe, parfois, ce que le film montre ou raconte.

J.-P. de T. : *Est-ce qu'on a pu repérer comme une addiction à la lecture?*

J.-C.C. : Bien entendu. Cet homme dans le métro en est un exemple. Imaginez-vous quelqu'un qui chaque jour consacrerait quelques heures à la marche mais qui ne porterait aucune attention au paysage, aux gens qu'il croiserait, à l'air qu'il respirerait. Il y a un fait de marcher, de courir, comme il y a un fait de lire. Que pouvez-vous retenir des livres que vous avez lus de cette manière? Comment se souvenir de ce qu'on a lu lorsqu'on a parcouru dans la même journée deux ou trois livres? Au cinéma, parfois, des spectateurs s'enferment pour voir quatre ou cinq films par jour. C'est le sort des journalistes et des jurés dans les festivals. Difficile de s'y reconnaître.

U.E. : J'en ai fait une fois l'expérience. J'avais été nommé juré au Festival de Venise. J'ai cru devenir fou.

J.-C.C. : Lorsque vous sortez de la salle de projection, titubant, après avoir visionné votre ration quotidienne, même les palmiers de la Croisette, à Cannes, vous paraissent faux. Le but ce n'est pas de voir à tout prix ou de lire à tout prix, mais de savoir que faire de cette activité et comment en tirer une nourriture substantielle et durable. Est-ce que les amateurs de lecture rapide goûtent véritablement ce qu'ils lisent? Si vous faites l'économie des longues descriptions dans Balzac, est-ce que vous ne perdez pas précisément ce qui fait la marque profonde de son œuvre? Ce qu'il est le seul à vous donner?

U.E. : Comme ceux qui, dans un roman, cherchent les guillemets annonçant un dialogue. Il a pu m'arriver dans ma jeunesse, en lisant des récits d'aventures, de sauter certains passages pour parvenir aux dialogues suivants.

Mais poursuivons sur notre thème. Celui des livres que nous n'avons pas lus. Il existe un moyen de favoriser la lecture, c'est celui qu'a imaginé l'écrivain Achille Campanile. Comment le marquis Fuscaldo est-il devenu l'homme le plus savant de son temps? Il avait hérité de son père une immense bibliothèque mais il s'en fichait royalement. Un jour, en ouvrant un livre par hasard, il trouve entre deux pages un billet de mille lires. Il se demande s'il en sera de même avec les autres livres et passe le reste de sa vie à feuilleter systématiquement tous les livres reçus en héritage. Et c'est ainsi qu'il devient un puits de science.

J.-P. de T. : « *Ne lisez pas Anatole France !* » *Le conseil ou le « déconseil » de lire, tel que le pratiquaient les surréalistes, n'a-t-il pas pour conséquence d'attirer l'attention sur des ouvrages qu'on n'aurait jamais eu l'intention de lire sans cela ?*

U.E. : Les surréalistes n'ont pas été les seuls à déconseiller de lire certains auteurs, ou certains livres. Il s'agit d'un genre de critique polémique qui a, sans doute, toujours existé.

J.-C.C. : Breton avait établi une liste des auteurs à lire et à ne pas lire. Lisez Rimbaud, ne lisez pas Verlaine. Lisez Hugo, ne lisez pas Lamartine. Etrangement : lisez Rabelais, ne lisez pas Montaigne. Si vous suivez à la lettre ses conseils, vous passerez peut-être à côté de quelques livres intéressants. Je dois dire malgré tout que cela m'a épargné de lire, par exemple, *Le Grand Meaulnes*.

U.E. : Vous n'avez pas lu *Le Grand Meaulnes* ? Alors vous n'auriez jamais dû écouter Breton. Le livre est merveilleux.

J.-C.C. : Il n'est peut-être pas trop tard. Je sais que les surréalistes ont hautement fulminé contre Anatole France. Mais lui, je l'ai lu. J'y ai pris du plaisir souvent, avec *La Révolte des anges* par exemple. Mais quelle dent ils gardaient contre lui ! A sa mort, ils recommandaient de l'enfermer dans l'une

278

de ces longues boîtes en fer qu'ont les bouquinistes, le long des quais de la Seine, au milieu de ces vieux livres qu'il avait tant aimés et de le jeter à la Seine. Nous sentons bien, là aussi, une haine de la vieille poussière livresque, inutile, encombrante et le plus souvent stupide. Cela dit, la question demeure : les ouvrages qui n'ont ni brûlé, ni été mal transmis ou mal traduits, ni censurés, et qui tant bien que mal sont parvenus jusqu'à nous, sont-ils véritablement les meilleurs, ceux que nous devons lire ?

U.E. : Nous avons parlé des livres qui n'existent pas ou qui n'existent plus. Des livres non lus et en attente d'être lus, ou de ne pas être lus. Je voudrais maintenant parler des auteurs qui n'existent pas et que pourtant nous connaissons. Des personnalités du monde de l'édition se retrouvent un jour autour d'une table à la Foire du livre de Francfort. Il y a là Gaston Gallimard, Paul Flamand, Ledig-Rowohlt et Valentino Bompiani. Autant dire l'état-major de l'édition en Europe. Ils commentent cette nouvelle folie qui s'est emparée de l'édition et qui consiste à surenchérir sur de jeunes auteurs qui n'ont pas encore fait leurs preuves. L'un d'entre eux a l'idée d'inventer un auteur. Son nom sera Milo Temesvar, auteur du déjà réputé *Let me say now* pour lequel l'American Library a déjà offert ce matin-là cinquante mille dollars. Ils décident donc de faire circuler ce bruit et de voir ce qui va se passer. Bompiani revient à son stand et nous raconte l'histoire à moi et à mon collègue (nous travaillons à l'époque pour lui). L'idée nous séduit et nous commençons à nous promener dans les allées de la foire en répandant en catimini le nom bientôt fameux de Milo Temesvar. Le soir, au cours d'un dîner, Giangiacomo Feltrinelli vient vers nous, très excité et nous dit : « Ne perdez pas votre temps. J'ai acheté les droits mondiaux de *Let me say now!* » Depuis cette époque, Milo Temesvar est devenu très important pour moi. J'ai écrit un article qui était le compte rendu d'un livre de Temesvar, *The Patmos sellers*, supposé être une parodie de tous les vendeurs d'apocalypse. J'ai présenté Milo Temesvar comme un Albanais qui avait été chassé de son pays pour déviationnisme de gauche! Il avait écrit un livre inspiré par Borges sur l'emploi des miroirs dans le jeu des échecs. Pour son ouvrage sur les apocalypses, j'avais même proposé un nom d'éditeur qui était très clairement inventé. J'ai su qu'Arnoldo Mondadori, à l'époque le plus grand éditeur italien, avait fait découper mon article sur lequel il avait noté, en rouge : « Acheter ce livre à tout prix. »

Mais Milo Temesvar n'en est pas resté là. Si vous lisez l'introduction au *Nom de la rose,* un texte de Temesvar y est cité. J'ai donc retrouvé le nom de Temesvar dans certaines bibliographies. Récemment, pour faire une parodie du *Da Vinci Code,* j'ai cité certains de ses ouvrages en géorgien et en russe, prouvant ainsi qu'il a consacré à l'ouvrage de Dan

Brown de savantes études. J'ai donc vécu toute ma vie avec Milo Temesvar.

J.-P. de T. : *Vous avez en tout cas réussi tous les deux à définitivement déculpabiliser tous ces gens qui possèdent sur leurs rayonnages tant de livres qu'ils n'ont pas lus et ne liront jamais !*

J.-C.C. : Une bibliothèque n'est pas forcément constituée de livres que nous avons lus ou même que nous lirons un jour, il est en effet excellent de le préciser. Ce sont des livres que nous pouvons lire. Ou que nous pourrions lire. Même si nous ne les lirons jamais.

U.E. : C'est la garantie d'un savoir.

J.-P. de T. : *C'est une sorte de cave à vin. Il n'est pas utile de tout boire.*

J.-C.C. : J'ai constitué également une assez bonne cave et je sais que je vais laisser des bouteilles remarquables à mes héritiers. D'abord parce que je bois de moins en moins de vin et que j'en achète de plus en plus. Mais je sais que, si l'envie me prenait, je pourrais descendre dans ma cave et liquider mes plus beaux millésimes. J'achète des vins en primeur. Ce qui veut dire que vous les achetez l'année de la récolte et que vous les recevez trois ans plus tard. L'intérêt est que, s'il s'agit d'un bordeaux de qualité par exemple, les producteurs le gardent en fûts puis en bouteilles dans les meilleures conditions possibles. Pendant ces trois ans, votre vin s'est bonifié et vous avez évité de le boire. C'est un excellent système. Trois ans plus tard, vous avez en général oublié que vous aviez commandé ce vin. Vous recevez un cadeau de vous à vous. C'est délicieux.

J.-P. de T. : *Ne faudrait-il pas faire de même avec les livres? Les mettre de côté, pas forcément dans une cave, mais les laisser mûrir.*

J.-C.C. : Cela combattrait en tout cas le très fâcheux « effet de la nouveauté », qui nous oblige à lire parce que c'est nouveau, parce que ça vient de paraître. Pourquoi ne pas garder un livre « dont on parle » et le lire trois ans plus tard? C'est une méthode que j'utilise assez souvent avec les films. Comme je n'ai pas le temps de voir tous ceux que je devrais voir, je garde quelque part ceux que je vais un jour me décider à regarder. Quelque temps plus tard, je constate que l'envie et la nécessité de les voir sont passées, pour le plus grand nombre. En ce sens, l'achat en primeur est sans doute, déjà, un filtrage. Je choisis ce que j'aimerai boire dans trois ans. C'est au moins ce que je me dis.

Ou bien, autre méthode, vous pouvez vous en remettre au filtrage que peut opérer pour vous un « expert », plus compétent que vous et qui connaît vos goûts. Je m'en suis ainsi remis à Gérard Oberlé, pendant des années, pour me signaler les livres que je *devais* acheter, quels que fussent mes moyens financiers du moment. Il ordonnait, j'obéissais. C'est ainsi que j'ai fait l'acquisition, lors de notre première rencontre, de *Pauliska ou la perversité moderne, mémoires récents d'une Polonaise*, un roman de la fin du XVIIIe siècle que je n'ai jamais revu depuis ce temps déjà ancien.

Il y a là une scène que j'ai toujours rêvé d'adapter au cinéma. Un homme, qui est un imprimeur, découvre un jour que sa femme est infidèle. Il en a la preuve : une lettre qu'elle a reçue de son amant et qu'il a trouvée. Le mari compose alors le contenu de cette lettre sur sa presse à imprimer, dénude sa femme, l'attache sur une table et lui imprime la lettre sur le corps, le plus profondément possible. Le corps nu et blanc devient papier, la femme crie de douleur et, à jamais, se transforme en livre. C'est comme une préfiguration de *La Lettre écarlate*, de Hawthorne. Ce rêve, imprimer une lettre d'amour sur le corps d'une femme coupable, c'est véritablement une vision d'imprimeur, ou à la rigueur d'écrivain.

Livre sur l'autel et livres en « Enfer »

J.-P. de T. : *Nous rendons un hommage appuyé au livre et à tous les livres, à ceux qui ont disparu, à ceux que nous n'avons pas lus, à ceux que nous ne devons pas lire. Cet hommage est compréhensible dans le contexte de sociétés qui ont placé le livre sur l'autel. Peut-être devez-vous maintenant dire quelque chose de nos religions du Livre.*

U.E. : Il est important de noter que nous appelons improprement les trois grandes religions monothéistes « religions du Livre » parce que le bouddhisme, le brahmanisme, le confucianisme sont aussi des religions qui se réfèrent à des livres. La différence est que, dans le monothéisme, le Livre fondateur revêt une signification particulière. Il est vénéré parce qu'il est censé avoir su traduire et transcrire quelque chose de la parole divine.

J.-C.C. : Pour les religions du Livre, la référence incontestée demeure la Bible hébraïque, le plus ancien des trois. Le texte est établi, croit-on savoir, au cours de la captivité à Babylone, c'est-à-dire autour du VIIe et du VIe siècle avant l'ère chrétienne. Nous devrions étayer nos propos par les commentaires des spécialistes. Mais tout de même ceci : il est dit dans la Bible, « Au commencement était le Verbe et la parole était Dieu. » Mais comment le verbe devient-il écriture ? Pourquoi est-ce le livre qui représente et incarne le verbe ? Comment, et avec quelles garanties, est-on passé de l'un à l'autre ? A partir de là, en effet, le simple fait d'*écrire* va revêtir une importance presque magique, comme si le possesseur de l'écriture, de cet outil incomparable, jouissait d'une relation secrète avec Dieu, avec les secrets de la Création. Encore devons-nous nous demander dans quelle langue le verbe a choisi de s'incarner. Si le Christ avait choisi notre époque pour nous rendre visite, sans doute aurait-il adopté l'anglais. Ou le chinois. Mais il s'exprimait en araméen, avant d'être traduit en grec, puis en latin. Toutes ces étapes, évidemment, mettent en danger le message. A-t-il bien dit ce que nous lui faisons dire ?

U.E. : Lorsqu'on a voulu enseigner les langues étrangères dans les écoles texanes au XIXe siècle, un sénateur s'y est fermement opposé avec cet argument plein de bon sens : « Si l'anglais suffisait à Jésus, alors nous n'avons pas besoin d'autres langues. »

J.-C.C. : Pour l'Inde c'est encore autre chose. Les livres existent, certes, mais la tradition orale revêt toujours un plus grand prestige. Elle est, encore aujourd'hui, jugée plus fiable. Pourquoi ? Les textes anciens se disent et surtout se chantent en groupe. Si quelqu'un commet une erreur, le groupe est là pour la lui signaler. La tradition orale des grands poèmes épiques, qui a perduré pendant près de mille ans, serait donc plus exacte que nos transcriptions faites par des moines, lesquels recopiaient à la main dans leurs scriptoria les textes anciens, répétant les erreurs de leurs prédécesseurs et en en ajoutant de nouvelles. Nous ne trouvons pas dans le monde indien cette idée d'associer le verbe au divin, ni même à la Création. Tout simplement parce que les dieux eux-mêmes ont été créés. Au commencement vibre un vaste chaos traversé de mouvements musicaux ou de sons. Ces sons finissent, après des millions d'années, par devenir des voyelles. Lentement elles se combinent, s'appuient sur des consonnes, se transforment en mots et ces mots se combinent à leur tour, composant les Védas. Les Védas n'ont donc pas d'auteur. Ils sont les produits du cosmos et font à ce titre autorité. Qui oserait mettre en doute la parole de l'univers ? Mais nous pouvons, et même nous devons, essayer de la comprendre. Car les Védas sont très obscurs, comme les profondeurs illimitées d'où ils sont nés. Il nous faut donc des commentaires pour les éclairer. Viennent alors les *Upanishads* et la deuxième catégorie des textes fondateurs de l'Inde, et enfin les auteurs. C'est entre les textes de la deuxième catégorie et les auteurs qu'apparaissent les dieux. Ce sont les mots qui créent les dieux. Pas l'inverse.

U.E. : Ce n'est pas par hasard si les Indiens ont été les premiers linguistes et grammairiens.

J.-P. de T. : *Pouvez-vous nous raconter comment vous êtes entrés en « religion du livre » ? Votre premier contact avec les livres ?*

J.-C.C. : Je suis né à la campagne dans une maison sans livres. Mon père a lu et relu un seul livre, je crois, durant toute sa vie, *Valentine,* de George Sand. Lorsqu'on lui demandait pourquoi il le relisait toujours, il répondait : « Je l'aime beaucoup, pourquoi est-ce que j'en lirais d'autres ? »

Les premiers livres qui entrèrent dans la maison – si je fais exception pour quelques vieux missels – ont été mes livres d'enfant. Le premier livre que j'ai vu de ma vie, je pense, en allant à la messe, fut le livre sacré, placé en évidence sur l'autel et dont le prêtre tournait les pages avec respect. Mon premier livre fut donc un objet de vénération. Le prêtre, à cette époque, tournait le dos aux fidèles et lisait l'évangile avec une extrême ferveur, en chantant le début : « In illo tempore, dixit Jesus discipulis suis... »

La vérité sortait en chantant d'un livre. Quelque chose de profondément inscrit en moi me fait regarder la place du livre comme privilégiée, et même sacrée, trônant toujours plus ou moins sur l'autel de mon enfance. Le livre, parce qu'il est un livre, contient une vérité qui échappe aux hommes.

Etrangement, j'ai retrouvé ce sentiment beaucoup plus tard dans un film de Laurel et Hardy, qui comptent parmi mes personnages de prédilection. Laurel affirme quelque chose, je ne sais plus quoi. Hardy s'en étonne, lui demande s'il en est certain. Et Laurel répond : « Je le sais, je l'ai lu dans un livre. » Argument qui aujourd'hui encore me paraît suffisant.

J'ai été bibliophile très tôt, si tant est que je le sois, parce que j'ai retrouvé une liste de livres que j'avais établie à l'âge de dix ans. Elle contenait déjà quatre-vingts titres! Jules Verne, James Oliver Curwood, Fenimore Cooper, Jack London, Mayne Reid et les autres. J'ai gardé cette liste près de moi comme une sorte de premier catalogue. Existait donc une attirance. Elle venait à la fois de la privation de livres et de cette aura extraordinaire, dans nos campagnes, du grand Missel. Il ne s'agissait pas d'un antiphonaire mais d'un livre de taille déjà respectable, lourd à porter pour un enfant.

U.E. : Ma découverte du livre a été différente. Mon grand-père paternel, qui mourut lorsque j'avais cinq ou six ans, était typographe. Comme tous les typographes, il était politiquement engagé dans tous les combats sociaux de son temps. Socialiste humanitaire, il ne se contentait pas d'organiser la grève avec ses amis. Il invitait les briseurs de grève à déjeuner chez lui, le jour de la grève, pour leur éviter d'être battus !

Nous allions de temps à autre lui rendre visite en dehors de la ville. Depuis sa retraite, il était devenu relieur de livres. Chez lui, sur une étagère, un tas de livres attendaient d'être reliés. La plupart étaient illustrés ; vous savez, ces éditions de romans populaires du XIX° avec les gravures de Joannot, Lenoir... Mon amour du feuilleton est certainement né en grande partie à cette époque, lorsque je fréquentais l'atelier de mon grand-père. Quand il est mort, il y avait encore chez lui des ouvrages qu'on lui avait donnés à relier mais que personne n'était venu réclamer. Tout cela a été mis dans une énorme caisse dont mon père, premier de treize fils, a hérité.

Cette énorme caisse était donc dans la cave de la maison familiale, c'est-à-dire à portée de ma curiosité que la fréquentation de ce grand-père avait éveillée. Comme je devais descendre à la cave chercher le charbon pour le chauffage de la maison ou une bouteille de vin, je me retrouvais au milieu de tous ces livres non reliés, extraordinaires pour un enfant de huit ans. Tout était là pour éveiller mon intelligence. Non seulement Darwin, mais des livres érotiques et tous les épisodes de 1912 à 1921 du *Giornale illustrato dei viaggi,* la version italienne du *Journal des Voyages et des aventures de terre et de mer.* Mon imagination s'était donc nourrie de tous ces Français courageux qui pourfendaient le Prussien infâme, tout cela baignant dans un nationalisme outrancier que je ne percevais évidemment pas. Le tout assaisonné d'une cruauté dont nous n'avons pas idée, têtes coupées, vierges souillées, enfants éventrés dans les terres les plus exotiques.

Tout cet héritage grand-paternel a malheureusement disparu. Je les avais tellement lus et prêtés à mes amis que ces ouvrages ont fini par rendre l'âme. Un éditeur italien, Sonzogno, s'était spécialisé dans ces récits d'aventures illustrés. Comme, dans les années soixante-dix, le groupe éditorial qui me publiait l'a racheté, je me suis aussitôt réjoui à l'idée de pouvoir retrouver peut-être quelques ouvrages de ma jeunesse, comme par exemple *Les Ravageurs de la mer* de Jacolliot, traduit en italien sous le titre *Il Capitano Satana.* Mais le fonds de l'éditeur avait été détruit pendant la guerre par les bombardements. Pour reconstituer ma bibliothèque enfantine, j'ai dû fouiller pendant des années chez les bouquinistes et dans les marchés aux puces, et je n'ai pas encore fini...

J.-C.C. : Il faut souligner, et vous le faites ici, combien cette littérature enfantine a eu d'influence sur nos destinées. Les spécialistes de Rimbaud rappellent combien *Le Bateau ivre* doit à sa lecture de *Costal l'Indien* de Gabriel Ferry. Mais je constate, Umberto, que vous commencez par des récits d'aventures et des feuilletons, et moi par des livres sacrés. Au moins un. Ce qui explique peut-être quelques divergences dans nos chemins, qui sait ? Ce qui m'a vraiment étonné, lors de mes premiers séjours en Inde, c'est qu'il n'existe pas de livre dans le culte hindou. Il n'y a pas de texte écrit. On ne donne pas aux fidèles quelque chose à lire ou à chanter, puisqu'ils sont pour la plupart analphabètes.

C'est sans doute pour cette raison que nous insistons, en Occident, pour parler des « religions du Livre ». La Bible, le Nouveau Testament et le Coran sont prestigieux. Ils ne sont pas là pour des illettrés, pour les ignorants, pour les basses classes. Ils sont perçus comme, non pas écrits par Dieu mais pratiquement sous sa dictée ou en suivant son inspiration. Le Coran est recueilli sous la dictée d'un ange et le Prophète, auquel il est demandé de « lire » (c'est la toute première injonction), doit admettre qu'il ne sait pas, qu'il n'a pas appris. Le don de lire le monde et de le dire lui est alors accordé. La religion, le contact avec Dieu, nous élève vers la connaissance. Il est essentiel de lire.

Les Evangiles sont constitués à partir des témoignages d'apôtres qui ont mémorisé la parole du fils de Dieu. Pour la Bible, cela dépend des livres. Il n'y a pas une autre religion où le livre joue ce rôle de trait d'union entre le monde divin et le monde des hommes. Certains textes hindouistes sont sacrés, comme la *Bhagavad-Gîtâ*. Mais, encore une fois, ils ne figurent pas dans les objets de culte proprement dits.

J.-P. de T. : *Est-ce que les mondes grec et romain ont vénéré le livre ?*

U.E. : Pas comme objet religieux.

J.-C.C. : Peut-être les Romains ont-ils vénéré les livres sibyllins, qui contenaient les oracles des prêtresses grecques et que les chrétiens ont brûlés. Les deux livres « sacrés » des Grecs étaient sans doute Hésiode et Homère. Mais on ne peut pas dire qu'il s'agisse de révélations religieuses.

U.E. : Dans une civilisation polythéiste, il ne peut exister une autorité supérieure aux autres, et donc la notion d'un seul « auteur » de la révélation n'a pas de sens.

J.-C.C. : Le *Mahâbhârata* est écrit par Vyâsa, un aède, l'Homère indien. Mais nous nous situons dans un temps de pré-écriture. Vyâsa, l'auteur premier, ne sait pas écrire. Il explique qu'il a composé « le grand poème du monde » qui doit nous dire tout ce que nous devons savoir, mais il ne peut pas l'écrire, il ne sait pas. Les hommes – ou les dieux – n'ont pas encore inventé l'écriture Vyâsa a besoin de quelqu'un pour écrire ce qu'il sait, pour établir la vérité parmi les hommes grâce à l'écriture. Brahmâ lui envoie, à cette occasion, le demi-dieu Ganesha qui apparaît avec son petit ventre rond, sa tête d'éléphant et une écritoire. Au moment d'écrire, il se casse l'une de ses défenses qu'il trempe dans son encrier. C'est pour cette raison que chaque représentation de Ganesha le montre avec la défense droite cassée. Une rivalité stimulante s'instaure d'ailleurs entre Ganesha et Vyâsa tout au long de l'écriture du poème. Le *Mahâbhârata* est donc contemporain de la naissance de l'écriture. Il est la première œuvre écrite.

U.E. : C'est aussi ce qu'on dit des poèmes homériques.

J.-C.C. : La vénération pour la Bible de Gutenberg, dont nous parlions, se justifie pleinement dans le contexte de nos religions du Livre. L'histoire moderne du livre commence aussi par une Bible.

U.E. : Mais cette vénération concerne surtout le milieu des bibliophiles.

J.-C.C. : Combien en existe-t-il ? Vous le savez ?

U.E. : Les sources ne sont pas unanimes. Nous pouvons calculer que deux cents à trois cents exemplaires ont probablement été imprimés. Quarante-huit survivent aujourd'hui, dont douze en vélin. Peut-être en existe-t-il quelques-uns qui dorment chez des particuliers. Notre vieille dame ignorante évoquée plus tôt et prête à s'en dessaisir.

J.-C.C. : Le fait qu'on ait pu sacraliser ainsi le livre prouve l'importance que le fait d'écrire et de lire a pu acquérir et conserver dans l'histoire successive des civilisations. D'où viendrait, sans cela, le pouvoir des lettrés en Chine ? Celui des scribes dans la civilisation égyptienne ? Le privilège de savoir lire et écrire était réservé à un très petit groupe d'individus qui en retiraient une autorité extraordinaire. Imaginez que nous soyons, vous et moi, les deux seules personnes à savoir écrire et lire dans la région. Nous pourrions nous prévaloir d'échanges mystérieux, de révélations redoutables et d'une correspondance entre nous dont personne ne pourrait questionner la teneur.

J.-P. de T. : *A propos de cette vénération des livres, Fernando Baez cite, dans son* Histoire de la destruction des livres, *Jean Chrysostome évoquant certaines personnes, au IVe siècle, qui portaient autour du cou de vieux manuscrits pour se protéger du pouvoir du mal.*

J.-C.C. : Le livre peut être un talisman mais aussi bien un objet de sorcellerie. Les moines espagnols qui brûlèrent les codex au Mexique se défendaient en disant qu'ils étaient maléfiques. Ce qui est absolument contradictoire. S'ils arrivaient eux-mêmes avec la force du vrai Dieu, comment les faux dieux auraient-ils pu exercer encore quelque pouvoir? On a dit la même chose des livres tibétains, parfois accusés de contenir des enseignements ésotériques redoutables.

U.E. : Connaissez-vous l'étude de Raimondo di Sangro, prince de Sansevero, à propos des quipus?

J.-C.C. : Vous voulez parler de ces cordes à nœuds qu'utilisait l'administration inca pour pallier le manque d'écriture?

U.E. : Exactement. Madame de Graffigny écrit les *Lettres d'une péruvienne*, un roman qui connaît au XVIIIe siècle un immense succès. Raimondo di Sangro, prince napolitain alchimiste, se livre alors à une étude du livre de Madame de Graffigny et donne cette étude merveilleuse sur les quipus, avec des dessins en couleurs.

Ce prince de Sansevero est un personnage extra-ordinaire. Probablement franc-maçon, occultiste, il est connu pour avoir fait réaliser dans sa chapelle, à Naples, des sculptures de corps humains décorti-qués avec le système veineux mis à nu, d'un réa-lisme tel qu'on a toujours imaginé qu'il avait travaillé à partir de corps humains vivants, peut-être d'esclaves à qui il avait inoculé certaines substances pour les pétrifier de cette façon. Si vous visitez Naples, vous devez absolument vous rendre dans la crypte de la Chapelle Sansevero pour les admirer. Ces corps sont des espèces de Vésale en pierre.

J.-C.C. : Soyez sûr que je n'y manquerai pas. A propos de ces écritures nouées qui ont suscité d'étonnants commentaires, je pense à ces figures à grande échelle trouvées au Pérou et dont des esprits aventureux ont raconté qu'elles avaient été tracées pour transmettre des messages à des créatures venues d'ailleurs. Je vous raconte une nouvelle de Tristan Bernard à ce sujet. Un jour les Terriens découvrent que des signaux leur sont adressés depuis une planète lointaine. Ils se concertent pour savoir ce que sont ces signaux qu'ils ne peuvent pas déchiffrer. Ils décident alors de tracer de très grandes lettres de plusieurs dizaines de kilomètres de long, dans le désert du Sahara, pour former le mot le plus court possible. Et ils choisissent : « Plaît-il ? » Ils écrivent en grand « Plaît-il ? » dans le sable, ce qui leur demande des années de labeur. Et ils sont tout étonnés de recevoir, quelque temps plus tard, cette réponse : « Merci, mais ce n'est pas à vous que notre message s'adresse. »

Ce petit détour pour vous demander, Umberto : qu'est-ce qu'un livre ? Est-ce que tout objet comportant des signes lisibles est un livre ? Les *volumina* romains sont-ils des livres ?

U.E. : Oui, nous les considérons comme faisant partie de l'histoire du livre.

J.-C.C. : La tentation est de dire : un livre est un objet qui se lit. C'est inexact. Un journal se lit, et n'est pas un livre, pas plus qu'une lettre, une stèle funéraire, une banderole dans une manifestation, une étiquette ou mon écran d'ordinateur.

U.E. : Il me semble qu'une manière de caractériser ce qu'est le livre est de considérer la différence qui existe entre une langue et un dialecte. Aucun linguiste ne connaît cette différence. Pourtant nous pourrions l'illustrer en disant qu'un dialecte est une langue sans armée et sans flotte. C'est la raison pour laquelle nous considérons que le vénitien est une langue, par exemple, parce que le vénitien était utilisé dans les actes diplomatiques et commerciaux. Ce qui n'a jamais été le cas, en revanche, du dialecte piémontais.

J.-C.C. : Qui reste donc un dialecte.

U.E. : Exactement. Donc si vous possédez une petite stèle comportant seulement un signe, disons, un nom divin, il ne s'agit pas d'un livre. Mais si vous avez un obélisque sur lequel plusieurs signes racontent l'histoire de l'Egypte, vous détenez quelque chose qui ressemble à un livre. C'est la même différence qui existe entre le texte et la phrase. La phrase s'arrête là où il y a un point, alors que le texte dépasse l'horizon du premier point qui ponctue la première phrase constituant ce texte. « Je suis rentré chez moi. » La phrase est close. « Je suis rentré chez moi. J'ai rencontré ma mère. » Vous êtes déjà dans la textualité.

J.-C.C. : Je voudrais citer un extrait de *La Philosophie du livre*, un essai de Paul Claudel publié en 1925, d'après une conférence prononcée à Florence. Claudel est un auteur que je n'apprécie guère mais qui a joui de quelques éclairs étonnants. Il commence par une déclaration transcendantale : « Nous savons que le monde est en effet un texte et qu'il nous parle, humblement et joyeusement, de sa propre absence, mais aussi de la présence éternelle de quelqu'un d'autre, à savoir son créateur. »
C'est le chrétien qui parle, évidemment. Il dit un peu plus loin : « J'ai eu l'idée d'étudier la physiologie du livre, le mot, la page et le livre. Le mot n'est qu'une portion mal apaisée de la phrase, un tronçon de chemin vers le sens, un vertige de l'idée qui passe. Le mot chinois, au contraire, reste fixe devant l'œil... L'écriture a ceci de mystérieux qu'elle parle. Le latin ancien et moderne a toujours été fait pour être écrit sur de la pierre. Les premiers livres présentent une beauté architecturale. Puis le mouvement de l'esprit s'accélère, le flux de la matière pensée grossit, les lignes se resserrent, l'écriture s'arrondit et se raccourcit. Bientôt cette nappe

humide et frissonnante sur la page sortie du bec exigu de la plume, l'imprimerie vient la saisir et la clicher... Voici l'écriture humaine en quelque sorte stylisée, simplifiée comme un organe mécanique... Le vers est une ligne qui s'arrête non parce qu'elle est arrivée à une frontière matérielle et que l'espace lui manque, mais parce que son chiffre intérieur est accompli et que sa vertu est consommée... Chaque page se présente à nous comme les terrasses successives d'un grand jardin. L'œil jouit délicieusement et par une attaque en quelque sorte latérale d'un adjectif qui se décharge tout à coup dans le neutre avec la violence d'une note grenat ou feu... Une grande bibliothèque me rappelle toujours les stratifications d'une mine de charbon, pleine de fossiles, d'empreintes et de conjonctures. C'est l'herbier des sentiments et des passions, c'est le bocal où l'on conserve les échantillons desséchés de toutes les sociétés humaines. »

U.E. : Là, vous voyez parfaitement ce qui distingue poésie et rhétorique. La poésie vous ferait redécouvrir l'écriture, le livre, la bibliothèque d'une manière absolument neuve. Tandis que Claudel dit exactement ce que nous savons ! Que le vers ne se termine pas parce que la page est finie mais parce qu'il obéit à une règle interne, etc. C'est donc de la rhétorique sublime. Mais il n'ajoute pas une seule idée nouvelle.

J.-C.C. : Alors que Claudel voit dans sa bibliothèque les « stratifications d'une mine de charbon », un de mes amis compare ses livres à une chaude fourrure. Il se sent comme réchauffé, comme abrité par les livres. Protégé contre l'erreur, contre l'incertitude et aussi contre les frimas. Etre entouré par toutes les idées du monde, par tous les sentiments, toute la connaissance et tous les errements possibles, vous offre une sensation de sécurité et de confort. Vous n'aurez jamais froid au sein de votre bibliothèque. Vous voilà protégé, en tout cas, contre les dangers glacés de l'ignorance.

U.E. : L'ambiance qui régnera dans la bibliothèque contribuera aussi à créer ce sentiment de protection. La structure sera de préférence ancienne. Autrement dit en bois. Les lampes seront à l'image de celles qu'on trouvait à la Bibliothèque nationale, de couleur verte. L'association du marron et du vert contribue à créer cette ambiance particulière. La bibliothèque de Toronto, absolument moderne (et dans son genre réussie), ne procure pas cette sensation de protection de la même manière que la Sterling Memorial Library de Yale, salle en style faux gothique, avec les différents étages meublés XIXᵉ siècle. Je me souviens d'avoir eu l'idée du meurtre commis dans la bibliothèque du *Nom de la rose* en travaillant précisément à la Sterling Library de Yale. J'avais l'impression, en travaillant le soir sur la mezzanine, que tout pouvait m'arriver. Il n'existait pas d'ascen-

301

seur pour gagner la mezzanine, de telle sorte qu'une fois installé à votre table de travail, vous aviez l'impression que plus personne ne pouvait vous venir en aide. On aurait pu découvrir votre cadavre, planqué sous une étagère, plusieurs jours après le crime. Il y a ce sens de la préservation qui est aussi celui qui entoure les mémoriaux et les tombeaux.

J.-C.C. : Ce qui m'a toujours fasciné, dans ces grandes bibliothèques publiques, c'est cette petite cloche de lumière verte dessinant un cercle clair au centre duquel se trouve un livre. Vous avez votre livre, et vous êtes entouré par tous les livres du monde. Vous avez à la fois le détail et l'ensemble. C'est précisément ce qui me fait éviter ces bibliothèques modernes, froides, anonymes où on ne voit plus les livres. Nous avons totalement oublié qu'une bibliothèque, cela peut être beau.

U.E. : Lorsque je travaillais à ma thèse, je passais beaucoup de mon temps à la bibliothèque Sainte-Geneviève. Dans ce type de bibliothèques, il était facile de se concentrer sur les livres dont nous étions en effet entourés, afin de prendre des notes. Dès qu'on a commencé à voir débarquer les photocopieuses Rank Xerox, ce fut le début de la fin. Vous pouviez reproduire le livre et l'emporter avec vous. Vous remplissiez votre maison de photocopies. Et le fait de les avoir en votre possession faisait que vous ne les lisiez plus.

Nous sommes dans la même situation avec Internet. Ou bien vous imprimez, et vous vous trouvez à nouveau tout encombré de documents que vous ne lirez pas. Ou bien vous lisez votre texte sur l'écran, mais une fois que vous cliquez pour aller plus loin dans votre recherche, vous perdez le souvenir de ce que vous venez de lire, de ce qui vous avait permis d'arriver à la page qui s'affiche maintenant sur votre écran.

J.-C.C. : Un point que nous n'avons pas abordé : pourquoi décidons-nous de placer un livre à côté d'un autre ? Pourquoi procédons-nous à tel type de rangement plutôt qu'à un autre ? Pourquoi soudain modifier l'ordre de ma bibliothèque ? Est-ce tout simplement afin que les livres côtoient d'autres livres ? Pour renouveler les fréquentations ? Les voisinages ? Je suppose un échange entre eux, je le souhaite, je le favorise. Ceux qui sont en bas, je les remonte pour leur redonner un peu de dignité, pour les mettre au niveau de mon œil et leur faire savoir que je ne les ai pas placés tout en bas à dessein, parce qu'ils étaient inférieurs, et par conséquent méprisables.

Nous en avons déjà parlé. Bien sûr, nous devons filtrer, aider en tout cas au filtrage qui de toute façon se fera, et essayer de sauver ce qui, à notre sens, ne doit pas être perdu en route. Ce qui peut plaire à ceux qui nous suivront, ce qui peut les aider aussi, ou les amuser à nos dépens. Nous devons également donner du sens, lorsque nous le pouvons, non sans prudence. Mais nous traversons une époque coincée, incertaine, où le premier devoir de chacun, sans doute, quand il le peut, est de favoriser les échanges entre les savoirs, les expériences, les points de vue, les espérances, les projets. Et de les mettre en relation. Ce sera peut-être la première tâche de ceux qui viendront après nous. Lévi-Strauss disait des cultures qu'elles ne sont vivantes que dans la mesure où elles sont en contact avec d'autres. Une culture solitaire ne mériterait pas ce nom.

U.E. : Un jour, ma secrétaire eut envie de dresser un catalogue de mes livres pour en préciser l'emplacement. Je l'en ai dissuadée. Si je suis en train d'écrire mon livre sur *La Langue parfaite*, je vais reconsidérer cette bibliothèque en fonction de ce nouveau critère, je vais l'aménager. Quels sont les livres qui sont alors les plus susceptibles de nourrir ma réflexion sur le sujet ? Lorsque j'en aurai terminé, certains rejoindront le rayon de linguistique, d'autres le rayon d'esthétique, mais d'autres se trouveront déjà embarqués dans une autre recherche.

J.-C.C. : Il faut dire que rien n'est plus difficile que de ranger une bibliothèque. A moins de commencer à mettre un peu d'ordre dans le monde. Qui s'y hasarderait ? Comment allez-vous ranger ?

Par matières ? Mais alors vous auriez des ouvrages de formats très différents et vous devriez revoir vos rayonnages. Alors par formats ? Par époques ? Par auteurs ? Vous avez des auteurs qui ont écrit sur tout. Si vous optez pour un rangement par matières, un auteur comme Kircher se retrouvera dans chaque rayon.

U.E. : Leibniz s'était posé le même problème. Et pour lui, c'était le problème de l'organisation d'un savoir. Le même problème que se sont posé D'Alembert et Diderot à propos de l'*Encyclopédie*.

J.-C.C. : Les problèmes n'ont commencé à se poser véritablement qu'à une date récente. Une grande bibliothèque privée, au XVIIe siècle, contenait au maximum trois mille volumes.

U.E. : Tout simplement, répétons-le, parce que les livres coûtaient infiniment plus cher qu'aujourd'hui. Un manuscrit coûtait une fortune. De telle sorte qu'il était préférable parfois de le recopier à la main au lieu de l'acheter.

Je voudrais maintenant vous conter une histoire amusante. J'ai visité la bibliothèque de Coimbra, au Portugal. Les tables étaient recouvertes d'un drap feutré, un peu comme des tables de billard. Je demande les raisons de cette protection. On me répond que c'est pour protéger les livres de la fiente des chauves-souris. Pourquoi ne pas les éliminer ?

305

Tout simplement parce qu'elles mangent les vers qui attaquent les livres. En même temps, le ver ne doit pas être radicalement proscrit et condamné. C'est le passage du ver à l'intérieur de l'incunable qui nous permet de savoir de quelle manière les feuillets ont été reliés, s'il n'y a pas des parties plus récentes que d'autres. Les trajectoires des vers dessinent parfois d'étranges figures qui apportent un certain cachet à des livres anciens. Dans les manuels à l'adresse des bibliophiles, nous trouvons toutes les instructions nécessaires pour nous protéger des vers. Un de ces conseils est d'employer le Zyklon B, la substance même utilisée par les nazis dans les chambres à gaz. Certes, il vaut mieux l'employer pour tuer des insectes que des hommes, mais cela fait tout de même une certaine impression.

Une autre méthode, moins barbare, consiste à placer un réveil dans sa bibliothèque, un de ceux que possédaient nos grand-mères. Il semblerait que son bruit régulier et les vibrations qu'il transmet au bois dissuadent les vers de sortir de leurs cachettes.

J.-C.C. : Un réveil qui endort, autrement dit.

J.-P. de T. : *Le contexte de ces religions du Livre crée bien entendu une forte incitation en faveur de la lecture. Il n'en reste pas moins vrai que la grande majorité des habitants de la planète vit à l'écart des librairies et des bibliothèques. Pour ceux-là, le livre est lettre morte.*

U.E. : Une enquête réalisée à Londres a montré qu'un quart des personnes interrogées croyaient que Winston Churchill et Charles Dickens étaient des personnages imaginaires, tandis que Robin Hood et Sherlock Holmes avaient existé.

J.-C.C. : L'ignorance est tout autour de nous, souvent arrogante et revendiquée. Elle fait même du prosélytisme. Elle est sûre d'elle, elle proclame sa domination par la bouche étroite de nos politiciens. Et le savoir, fragile et changeant, toujours menacé, doutant de lui-même, est sans doute un des derniers refuges de l'utopie. Croyez-vous qu'il est vraiment important de savoir ?

U.E. : Je crois que c'est fondamental.

J.-C.C. : Que le plus grand nombre de gens sachent le plus grand nombre de choses possible ?

U.E. : Que le plus grand nombre possible de nos semblables connaissent le passé. Oui. C'est le fondement de toute civilisation. Le vieux qui, le soir, sous le chêne, raconte les histoires de la tribu, c'est lui qui établit le lien de la tribu avec le passé et qui transmet l'expérience des ans. Notre humanité est sans doute tentée de penser, comme le font les Américains, que ce qui s'est passé il y a trois cents ans ne compte plus, n'a plus aucune importance pour nous. George W. Bush, qui n'avait pas lu les ouvrages sur les guerres anglaises en Afghanistan, n'a donc pas pu tirer le moindre enseignement de l'expérience des Anglais et il a envoyé son armée au casse-pipe. Si Hitler avait étudié la campagne de Russie de Napoléon, il n'aurait pas fait la bêtise de s'y engager. Il aurait su que l'été n'est jamais assez long pour arriver à Moscou avant l'hiver.

J.-C.C. : Nous avons parlé de ceux qui cherchent à interdire les livres et de ceux qui ne les lisent pas par simple paresse ou ignorance. Mais il y a aussi la théorie de la « docte ignorance » de Nicolas de Cues. « Tu trouveras quelque chose de plus dans une feuille d'arbre que dans les livres », écrit saint Bernard à l'abbé de Vauclair, Henri Murdach. « Les arbres et les rochers t'enseigneront ce que tu ne peux apprendre d'aucun maître. » Par le fait même qu'il est un texte articulé et imprimé, le livre ne peut rien nous apprendre, et il est même souvent suspect car il nous donne à partager les impressions d'un seul individu. C'est dans la contemplation de la nature que se trouve le vrai savoir. Je ne sais si vous connaissez le beau texte de José Bergamin, *La Décadence de l'analphabétisme*. Il pose cette question : qu'avons-nous perdu en apprenant à lire ? Quelles formes de connaissance possédaient les hommes de la préhistoire, ou les peuples sans écriture, que nous aurions irrémédiablement perdues ? Question sans réponse, comme toutes les questions aiguës.

U.E. : Il me semble que chacun peut répondre pour lui-même. Les grands mystiques ont varié face à cette question. Thomas a Kempis, dans *L'Imitation de Jésus-Christ*, dit par exemple qu'il n'a jamais pu trouver de paix dans sa vie sinon en se mettant quelque part à l'écart avec un livre. Et au contraire, Jacob Böhme connaît sa grande expérience illuminatrice lorsqu'un rayon de lumière vient frapper le pot d'étain posé devant lui. Il se moque bien, à ce moment-là, d'avoir ou non à portée de lui des livres, car il a la révélation de toute son œuvre à venir. Mais nous qui sommes des gens du livre, nous n'aurions rien à tirer d'un bidet frappé par un rayon de soleil.

J.-C.C. : Je reviens à nos bibliothèques. Peut-être avez-vous fait une expérience semblable. Très souvent, il m'arrive de me rendre dans une pièce où j'ai des livres et de simplement les regarder, sans en toucher un. Je reçois quelque chose que je ne saurais dire. C'est intriguant et en même temps rassurant. Lorsque je m'occupais de la Fémis, sachant que Jean-Luc Godard cherchait un endroit où travailler à Paris, nous l'avions autorisé à squatter une pièce, avec la seule obligation de prendre quelques étudiants avec lui lorsqu'il monterait ses films. Il tourne donc un film et, le tournage achevé, il installe sur les étagères toutes les boîtes de différentes couleurs qui contenaient les différentes séquences. Il est resté plusieurs jours à regarder ces bobines sans les ouvrir avant de commencer son montage. Ce n'était pas un jeu. Il était seul. Il regardait les boîtes. Je passais le voir de temps en temps. Il était là, essayant de se souvenir peut-être, ou cherchant un ordre, une inspiration.

U.E. : Ce n'est pas une expérience que peuvent faire uniquement ceux qui ont accumulé beaucoup de livres chez eux, ou de bobines, comme dans votre exemple. On peut avoir la même expérience dans une bibliothèque publique et parfois dans une grande librairie. Combien de nous ne se sont pas nourris du simple parfum de livres qu'on voyait sur des rayons mais qui n'étaient pas les nôtres ? Contempler les livres pour en tirer du savoir. Tous ces livres que vous n'avez pas lus vous promettent quelque chose. Or, une raison d'être optimiste est que de plus en plus de gens ont accès aujourd'hui à la vision d'une grande quantité de livres. Lorsque j'étais encore enfant, une librairie était un lieu très sombre, peu accueillant. Vous entriez, un homme habillé en noir vous demandait ce que vous désiriez. Il était tellement effrayant que vous ne songiez pas à vous attarder. Or, il n'y a jamais eu dans l'histoire des civilisations autant de librairies qu'aujourd'hui, belles, lumineuses, où vous pouvez vous promener, feuilleter, faire des découvertes sur trois ou quatre étages, les Fnac en France, les librairies Feltrinelli en Italie, par exemple. Et si je me rends dans ces endroits, je découvre qu'ils sont pleins de jeunes gens. Je répète qu'il n'est pas nécessaire qu'ils achètent et même qu'ils lisent. Il suffit de feuilleter, de jeter un coup d'œil à la quatrième de couverture. Nous aussi nous avons appris un tas de choses en lisant de simples comptes rendus. Il est possible d'objecter que sur six milliards d'êtres humains le pourcentage des lecteurs reste très bas. Mais quand j'étais un gamin, nous n'étions alors que deux milliards sur la planète et les librairies étaient désertes. Le pourcentage semble plus favorable de nos jours.

J.-P. de T. : *Vous avez déjà dit pourtant que cette abondance d'informations, sur Internet, pouvait finir par produire six milliards d'encyclopédies et devenir tout à fait contre-productive, paralysante...*

U.E. : Il y a une différence entre le vertige « mesuré » d'une belle librairie et le vertige infini d'Internet.

J.-P. de T. : *Nous évoquons ces religions du Livre qui le sacralisent. Le Livre référent suprême qui va servir alors à disqualifier et proscrire tous les livres qui s'écarteraient des valeurs que le Livre véhicule. Il me semble que cette discussion nous invite à dire un mot sur ce que nous appelons « l'Enfer » de nos bibliothèques, lieu où sont rassemblés les livres qui, même s'ils ne sont pas brûlés, sont placés à l'écart dans le souci d'en protéger les éventuels lecteurs.*

J.-C.C. : Il y a plusieurs manières d'aborder le sujet. J'ai découvert par exemple, non sans étonnement, que dans toute la littérature espagnole, il n'existait pas un seul texte érotique jusqu'à la seconde moitié du XXe siècle. C'est une sorte d'« Enfer » mais en creux.

U.E. : Mais ils ont tout de même le plus terrible blasphème du monde, que je n'ose pas citer ici.

J.-C.C. : Oui, mais pas un seul texte érotique. Un ami espagnol me disait qu'étant enfant dans les années soixante, soixante-dix, un copain lui fit remarquer que dans le *Quijote* on parlait des *tetas*, c'est-à-dire des tétons, d'une femme. Un jeune garçon espagnol pouvait encore s'étonner dans ces années-là de trouver le mot *tetas* chez Cervantès, et même s'exciter. A part ça, rien de connu. Pas même de chansons de corps de garde. Tous les grands auteurs français ont écrit un ou plusieurs textes pornographiques, de Rabelais à Apollinaire. Pas les auteurs espagnols. L'Inquisition a vraiment réussi en Espagne à purger le vocabulaire, à étouffer les mots sinon la chose. Même *L'Art d'aimer* d'Ovide y fut longtemps interdit. C'est d'autant plus étrange que certains des auteurs latins qui se sont commis à rédiger ce genre de littérature étaient d'origine espagnole. Je pense par exemple à Martial, qui était de Calatayud.

U.E. : Il a existé des civilisations plus libres à l'égard des choses du sexe. Vous voyez des fresques à Pompéi ou des sculptures en Inde qui vous le laissent entendre. On a été assez libre à la Renaissance, mais avec la Contre-Réforme, on commence à habiller les corps nus de Michel-Ange. Plus curieuse est la situation au Moyen Age. Un art officiel très prude et très pieux, mais en revanche, une avalanche d'obscénités dans le folklore et dans la poésie des goliards...

J.-C.C. : On dit que l'Inde a inventé l'érotisme, ne serait-ce que parce qu'elle possède avec le *Kâma-Sûtra* le plus ancien manuel de sexualité connu. Toutes les positions possibles, toutes les formes de sexualité y sont en effet représentées, comme sur les façades des temples de Kajuraho. Mais depuis ces temps apparemment voluptueux, l'Inde n'a pas cessé d'évoluer vers un puritanisme de plus en plus strict. Dans le cinéma indien contemporain, on ne s'embrasse même pas sur la bouche. Sans doute sous l'influence de l'islam d'un côté et du victorianisme anglais de l'autre. Mais je ne suis pas persuadé qu'il n'existe pas aussi un puritanisme proprement indien. Si nous parlons maintenant de ce qui se passait tout récemment chez nous, je parle des années cinquante lorsque j'étais étudiant, je me souviens que nous devions nous rendre dans les sous-sols d'une librairie située boulevard de Clichy, à l'angle de la rue Germain-Pilon, pour y trouver des livres érotiques. Il y a cinquante-cinq ans à peine. Pas de quoi faire les fanfarons !

U.E. : Voilà donc exactement le principe de « l'Enfer » de la Bibliothèque nationale à Paris. Il ne s'agit pas d'interdire ces livres, mais de ne pas les mettre à la disposition de tous.

J.-C.C. : Ce sont des ouvrages à caractère pornographique essentiellement, ceux qui vont contre les bonnes mœurs, qui constitueront « l'Enfer » de la Bibliothèque nationale, créée au lendemain de la Révolution à partir des fonds confisqués dans les monastères, les châteaux, chez certains particuliers, et y compris à partir de la bibliothèque royale. « L'Enfer », lui, attendra la Restauration, époque où triomphent à nouveau tous les conservatismes. J'aime cette idée que, pour visiter l'Enfer des livres, il faut une autorisation spéciale. On croit facile d'aller en enfer. Pas du tout. L'Enfer est sous clé. N'y entre pas qui veut. La Bibliothèque François-Mitterrand a d'ailleurs organisé une exposition sur ces livres sortis de l'Enfer, et ce fut un succès.

J.-P. de T. : *Avez-vous visité cet Enfer ?*

U.E. : A quoi bon puisque tous les ouvrages qu'il contient ont maintenant été publiés ?

J.-C.C. : Je ne l'ai pas visité, sinon partiellement, et sans doute contient-il des ouvrages que nous avons lus, vous et moi, mais dans des éditions très recherchées par les bibliophiles. Et ce n'est pas seulement un fonds de livres français. La littérature arabe est aussi extrêmement riche sur le sujet. Il existe des équivalents du *Kâma-Sûtra* en arabe et aussi en persan. Cependant, à l'image de l'Inde que nous évoquions, le monde arabo-musulman paraît avoir oublié ses origines flamboyantes pour un puritanisme inattendu qui ne correspond en aucune manière à la tradition de ces peuples.

Revenons à notre XVIIIe siècle français : il est indiscutablement le siècle où la littérature érotique illustrée – née semble-t-il en Italie deux siècles plus tôt – apparaît et se répand, même si elle est éditée de manière clandestine. Sade, Mirabeau, Restif de La Bretonne se vendent sous le manteau. Ce sont des auteurs qui ont pour dessein d'écrire des livres pornographiques racontant plus ou moins, avec des variantes, l'histoire d'une jeune fille qui arrive de province et qui se trouve livrée à toutes les débauches de la capitale.

En fait, il s'agit, sous un masque, d'une littérature prérévolutionnaire. A cette époque, l'érotisme en littérature dérange réellement les bonnes mœurs et les bonnes pensées. Elle est une attaque directe à la bienséance. Derrière les scènes d'orgie, on croirait entendre le son du canon. Mirabeau est un de ces auteurs érotiques. Le sexe est un tremblement social. Ce lien entre érotisme, pornographie et une situation prérévolutionnaire n'existera évidemment plus de la même manière après la période à proprement parler révolutionnaire. Il ne faut pas oublier que, sous la Terreur, les vrais amateurs de ces exercices, à leurs risques et périls, louaient un carrosse, se rendaient place de la Concorde pour assister à une exécution capitale et en profitaient pour se livrer parfois, dans la voiture et sur la place même, à une partie carrée.

Sade, monument inégalable en la matière, a été un révolutionnaire. Il est allé en prison pour cette raison et non pas pour ses écrits. Nous devons insister pour dire que ces livres-là brûlaient réellement les mains et les yeux. La lecture de ces lignes chaudes constituait, tout autant que l'écriture, un geste subversif.

Cette dimension subversive demeure après la Révolution, dans ces publications, mais dans la sphère sociale, et non plus dans la sphère politique. Ce qui n'empêche pas, bien entendu, de les interdire. Raison pour laquelle certains auteurs de livres pornographiques ont toujours nié les avoir écrits, et cela jusqu'à nos jours. Aragon a toujours nié être l'auteur du *Con d'Irène*. Mais une chose est certaine : ils n'ont pas écrit ça pour gagner de l'argent.

L'interdit qui frappe ces ouvrages promis à l'Enfer fait qu'ils sont vendus à très peu d'exemplaires. Il y a plutôt un besoin d'écrire qu'un désir de gagner de l'argent. Lorsque Musset écrit

316

Gamiani avec George Sand, il éprouve probablement le besoin d'échapper à ses mièvreries habituelles. Alors il y va carrément. Ce sont « trois nuits d'excès ».

J'ai plusieurs fois abordé ces questions avec Milan Kundera. Il pense que le christianisme a réussi, par la confession, par une persuasion profonde, à pénétrer jusque dans le lit des amants et à les contraindre dans leurs jeux érotiques, voire à les culpabiliser, à leur faire éprouver un sentiment de péché, peut-être délicieux lorsqu'ils commettent une sodomie par exemple, mais qu'il faut ensuite confesser, expier. Un péché qui ramène en somme à l'Eglise. Tandis que le communisme n'y est jamais arrivé. Le marxisme-léninisme, si complexe, si puissamment organisé qu'il fût, s'arrêtait au seuil de la chambre à coucher. Un couple, de préférence illégitime, qui, à Prague sous la dictature communiste, fait l'amour, est encore conscient d'accomplir un acte subversif. La liberté leur fait défaut partout, dans tous les actes de leur vie, sauf dans leur lit.

Que faire de sa bibliothèque
après sa mort ?

J.-P. de T. : *Vous nous avez dit, Jean-Claude, avoir été tenu de vendre une partie de votre bibliothèque et n'en avoir pas ressenti un trop grand chagrin. Je voudrais vous interroger maintenant sur la destinée de ces collections que vous avez constituées. Si on est le créateur d'une telle collection, d'une œuvre bibliophilique, on se doit nécessairement de considérer le sort de celle-ci une fois qu'on ne sera plus en mesure de s'en occuper. Je voudrais donc, si vous me le permettez, parler du sort de vos bibliothèques après votre disparition.*

J.-C.C. : Ma collection a été amputée en effet et, étrangement, cela ne m'a nullement chagriné de vendre tout un paquet de beaux livres. Mais j'ai connu à cette occasion une joyeuse surprise. J'avais confié à Gérard Oberlé une partie de mon fonds surréaliste où se trouvaient à l'époque d'assez belles choses, des manuscrits, des ouvrages dédicacés. Oberlé était chargé de les écouler peu à peu.

319

Le jour où j'ai enfin payé mes dettes, je l'ai appelé pour savoir où nous en étions de cette vente. Il m'apprit qu'il restait encore pas mal de livres qui n'avaient pas trouvé preneur. Je lui demandai de me les renvoyer. Plus de quatre ans s'étaient passés. L'oubli avait commencé son travail. J'ai retrouvé des livres que je possédais avec tout l'émerveillement de la découverte. Comme de grandes bouteilles intactes que j'aurais pensé avoir bues.

Ce que deviendront mes livres après ma mort? Ma femme et mes deux filles en décideront. Simplement, par testament, je donnerai sans doute tel ou tel livre à tel ou tel de mes amis. Comme cadeau post mortem, comme un signe, comme un relais. Pour être sûr qu'il ne m'oubliera pas tout à fait. Je suis en train de réfléchir à celui que j'aimerais vous léguer. Ah, si j'avais le Kircher qui vous manque... mais je ne l'ai pas.

U.E. : Pour ce qui concerne ma collection, je ne voudrais évidemment pas qu'elle soit dispersée. La famille pourra la donner à une bibliothèque publique ou bien la vendre par l'intermédiaire d'une vente aux enchères. Elle sera alors vendue complète, à une université. C'est tout ce qui m'importe.

J.-C.C. : Vous, vous avez une véritable collection. C'est une œuvre que vous avez bâtie de longue haleine et vous ne voulez pas qu'elle soit démembrée. C'est normal. Elle parle de vous peut-être tout

320

aussi bien que vos propres ouvrages. Je dirais la même chose pour ce qui me concerne : l'éclectisme qui a présidé à la constitution de ma bibliothèque parle de moi tout aussi bien. On n'a cessé de me répéter tout au long de ma vie que j'étais dispersé. Ma bibliothèque est donc à mon image.

U.E. : Je ne sais si la mienne est à mon image. Je l'ai dit, je collectionne des œuvres auxquelles je ne crois pas, donc il s'agit d'une image de moi à l'envers. Ou peut-être est-ce une image de moi en tant qu'esprit contradictoire. Mon incertitude est due au fait que je montre ma collection à très peu de gens. Une collection de livres est un phénomène masturbatoire, solitaire, et vous trouvez rarement des gens qui peuvent partager votre passion. Si vous possédez de très beaux tableaux, les gens viendront chez vous les admirer. Mais vous ne trouverez jamais personne pour s'intéresser vraiment à votre collection de vieux livres. Ils ne comprennent pas pourquoi vous donnez tellement d'importance à un petit bouquin sans aucun attrait, et pourquoi il vous a coûté des années de recherches.

J.-C.C. : Pour justifier notre coupable penchant, je dirais que vous pouvez avoir avec le livre original presque un rapport de personne à personne. Une bibliothèque, c'est un peu une compagnie, un groupe d'amis vivants, d'individus. Le jour où vous vous sentez un peu isolé, un peu déprimé, vous pouvez vous adresser à eux. Ils sont là. D'ailleurs il m'arrive d'y faire des fouilles, d'y découvrir des choses cachées dont j'avais oublié la présence.

U.E. : Je l'ai dit, c'est un vice solitaire. Pour des raisons mystérieuses, l'attachement que nous pouvons avoir pour un livre n'est en aucune façon lié à sa valeur. J'ai des livres auxquels je suis très attaché et qui n'ont pas une grande valeur commerciale.

J.-P. de T. : *Que représentent vos collections d'un point de vue bibliophilique ?*

U.E. : Je crois qu'il se fait d'habitude une confusion entre bibliothèque personnelle et collection de livres anciens. J'ai, entre ma maison principale et mes maisons secondaires, cinquante mille livres. Mais il s'agit de livres modernes. Mes livres rares représentent mille deux cents titres. Mais il y a encore une différence. Les livres anciens sont ceux que j'ai choisis (et payés), les livres modernes sont des livres que j'ai achetés au cours des années mais aussi, et de plus en plus, des livres que je reçois en hommage. Or, bien que j'en donne tout un tas à mes étudiants, j'en garde un assez grand nombre, et nous voilà au chiffre de cinquante mille.

J.-C.C. : Si je mets ma collection de contes et légendes à part, j'ai peut-être deux mille ouvrages anciens sur un total de trente ou quarante mille.

Mais certains de ces ouvrages sont parfois un fardeau. Vous ne pouvez plus vous séparer de l'ouvrage qu'un ami vous a dédicacé, par exemple. Cet ami peut venir chez vous. Il faut alors qu'il aperçoive son livre, et en bonne place.

Il y a aussi des gens qui découpent le nom du dédicataire sur la page de dédicace pour pouvoir vendre leur exemplaire sur les quais. C'est à peu près aussi affreux que de découper des incunables pour les vendre page par page. J'imagine que vous recevez, vous aussi, les livres de tous les amis qu'Umberto Eco doit avoir dans le monde !

U.E. : J'avais fait un calcul à ce sujet, mais il date un peu. Il faudrait le réactualiser. J'ai considéré le prix du mètre carré à Milan pour un appartement qui n'était ni dans le centre historique (trop cher), ni dans la périphérie prolétaire. Je devais me faire alors à l'idée que pour une habitation d'une certaine dignité bourgeoise, je devais le payer 6 000 euros, soit pour une superficie de cinquante mètres carrés, 300 000 euros. Si maintenant je déduisais l'emplacement des portes, des fenêtres et d'autres éléments qui viendraient nécessairement rogner sur l'espace disons « vertical » de l'appartement, autrement dit les murs susceptibles d'accueillir des rayonnages de livres, je ne pouvais prendre réellement en compte que vingt-cinq mètres carrés. Donc, un mètre carré vertical me coûtait 12 000 euros.

En calculant le prix le plus bas pour une bibliothèque de six étagères, la plus économique, j'arrivais à 500 euros par mètre carré. Dans un mètre carré de six rayons, je pouvais sans doute placer environ trois cents livres. Donc l'emplacement de chaque livre revenait à 40 euros. Plus cher donc que son prix. Par conséquent, pour tout livre qui m'était adressé, l'expéditeur devait glisser un chèque d'un montant équivalent. Pour un livre d'art, de plus grand format, il fallait compter beaucoup plus.

J.-C.C. : Même chose avec les traductions. Que faites-vous de vos cinq exemplaires en birman ? Vous vous dites que si jamais vous rencontrez un Birman, vous lui en ferez cadeau. Mais vous devez en rencontrer cinq !

U.E. : J'ai une cave entière remplie de mes traductions. J'avais essayé de les envoyer dans les prisons en pariant sur le fait que, dans les prisons italiennes, il y avait moins d'Allemands, de Français et d'Américains que d'Albanais et de Croates. J'ai donc envoyé les traductions de mes livres dans ces langues-là.

J.-C.C. : En combien de langues *Le Nom de la rose* a-t-il été traduit ?

U.E. : Quarante-cinq. Chiffre qui tient compte de la chute du mur de Berlin et du fait que, alors

qu'auparavant le russe valait comme langue obligatoire pour toutes les républiques soviétiques, il a
fallu après la chute traduire le livre en ukrainien, en
azerbaïdjanais, etc. D'où ce chiffre extravagant. Si
vous comptez de cinq à dix exemplaires pour
chaque traduction, vous avez déjà de deux cents à
quatre cents volumes qui viennent se parquer dans
votre cave.

J.-C.C. : Je peux faire ici une confidence : il
m'arrive parfois d'en jeter, en me cachant de moi-
même.

U.E. : Une fois, pour faire plaisir au président,
j'ai accepté d'entrer au jury du prix Viareggio. J'y
siégeais simplement pour la section Essais. J'ai
découvert que chaque membre du jury recevait tous
les livres en compétition, toutes catégories confon-
dues. Pour ne parler que de la poésie, et vous savez
comme moi que le monde est rempli de poètes qui
éditent à leurs frais des vers sublimes, il m'arrivait
des caisses dont je ne savais que faire. A quoi
s'ajoutaient toutes les autres sections en compétition. J'ai imaginé qu'il me fallait garder ces ouvrages comme documents. Mais je me suis très vite
trouvé, chez moi, devant un problème de place et,
heureusement, j'ai fini par renoncer à mes attribu-
tions au sein du jury du prix Viareggio. L'hémorragie s'est alors arrêtée. Les poètes sont de loin les
plus dangereux.

J.-C.C. : Vous connaissez cette blague qui vient d'Argentine, un pays où vivent comme vous savez de très nombreux poètes. L'un d'eux croise un vieil ami et lui dit, en mettant sa main dans sa poche : « Ah! tu tombes bien, je viens justement d'écrire un poème et il faut que je te le lise. » L'autre met alors également sa main à sa poche et dit : « Attention, j'en ai un moi aussi! »

U.E. : Mais il y a plus de psychanalystes que de poètes en Argentine, non ?

J.-C.C. : Il paraît. Mais on peut être les deux à la fois.

U.E. : Sans doute ma collection de livres anciens ne peut-elle pas être comparée à celle qu'a constituée le bibliophile hollandais Ritman, la BPH, Bibliotheca Philosophica Hermetica. Ces dernières années, puisqu'il avait sur ces sujets à peu près tout de ce qu'il convenait d'avoir, il a commencé à collectionner aussi les incunables précieux, même lorsqu'ils ne concernaient pas l'hermétisme. Les livres modernes qu'ils possèdent occupent toute la partie supérieure d'un grand bâtiment, tandis que les livres anciens sont dans une cave admirablement aménagée.

J.-C.C. : Le collectionneur brésilien José Mindlin, qui a constitué un ensemble unique autour de ce qu'on appelle les *Americana*, a fait construire toute une maison pour ses livres. Il a créé une fondation, de manière que le gouvernement brésilien entretienne sa bibliothèque après sa mort. Beaucoup plus modestement, j'ai deux petites collections auxquelles j'aimerais faire un sort particulier. L'une d'elles est unique au monde, je crois. C'est celle qui rassemble des contes et légendes, des récits fondateurs de tous les pays. Ce n'est pas une collection de livres précieux au sens bibliophilique du terme. Ces récits sont anonymes, les éditions sont souvent banales et les exemplaires parfois fatigués. J'aimerais léguer cet ensemble de trois ou quatre mille volumes à un musée des arts populaires ou à une bibliothèque spécialisée. Je n'ai pas encore trouvé.

La seconde collection à laquelle je voudrais réserver un sort particulier (mais je ne sais lequel), est celle que j'ai constituée avec ma femme. Elle concerne, je l'ai déjà évoqué ici, le « voyage en Perse » depuis le XVIe siècle. Peut-être notre fille s'y intéressera-t-elle un jour.

U.E. : Mes enfants n'ont pas l'air d'être intéressés. Mon fils aime l'idée que je possède la première édition de l'*Ulysse* de Joyce et ma fille consulte souvent mon herbier de Mattioli du XVIe siècle, mais c'est tout. D'ailleurs je suis devenu un véritable bibliophile seulement à partir de mes cinquante ans.

327

J.-P. de T. : *Craignez-vous l'un et l'autre les voleurs ?*

J.-C.C. : On m'a un jour volé un livre, et pas n'importe lequel, l'original de *La Philosophie dans le boudoir* de Sade. Je crois savoir qui était le voleur. C'était au cours d'un déménagement. Je n'ai jamais pu le retrouver.

U.E. : C'est quelqu'un qui connaissait le métier qui est passé par là. Les plus dangereux sont les voleurs bibliophiles, ceux qui volent un seul livre. Les libraires finissent par identifier ces clients cleptomanes et les signalent à leurs confrères. Les voleurs normaux ne sont pas dangereux pour le collectionneur. Imaginons que de pauvres cambrioleurs s'aventurent à dérober ma collection. Il leur faudrait deux nuits pour mettre tous les livres en caisse, et un camion pour les transporter.

Ensuite (si le lot complet n'est pas acheté par Arsène Lupin qui l'aura dissimulé dans l'Aiguille creuse), les bouquinistes leur en donneraient une misère, et seulement les marchands sans scrupules, parce qu'il apparaîtrait évident qu'il s'agirait de marchandises volées. D'ailleurs un bon collectionneur fait pour chaque livre rare une fiche ou on décrit même les défauts et tout autre signe d'identification, et il y a une section de la police spécialisée dans le vol des œuvres d'art et des livres. En Italie, par exemple, elle est particulièrement efficace, ayant acquis ses compétences à l'époque où il s'agissait de retrouver des œuvres d'art disparues pendant la guerre. Et enfin, si le voleur décide de ne prendre que trois livres, il va certainement se tromper en prenant les formats les plus imposants, ou ceux qui ont la reliure la plus belle, pensant que ce sont ceux qui sont les plus chers, tandis que le livre plus rare est peut-être si petit qu'on ne le remarque pas.

Le risque majeur est celui de la personne envoyée spécialement par un collectionneur fou qui sait que vous possédez ce livre-là et qui le veut absolument, même au prix d'un vol. Mais il faudrait que vous possédiez le *Folio* de Shakespeare de 1623, autrement cela ne vaut pas la peine de prendre autant de risques.

J.-C.C. : Vous savez qu'il existe des « antiquaires » qui présentent des catalogues de meubles anciens, lesquels se trouvent encore chez leur propriétaire. Si vous êtes intéressé, ils organisent le vol, et uniquement de ce meuble-là. Mais en général je rejoins ce que vous avez dit. J'ai été cambriolé une fois. Les voleurs ont pris la télé, un appareil radio, je ne sais plus quoi, mais pas un seul livre. Ils ont volé pour dix mille euros, alors qu'en prenant un seul livre, ils partaient avec cinq ou dix fois cette somme. Nous sommes donc protégés par l'ignorance.

J.-P. de T. : *J'imagine que tout collectionneur de livres garde quelque part en lui la hantise du feu ?*

U.E. : Oh oui ! Et c'est pour cette raison que je paie une somme considérable pour faire assurer ma collection. Ce n'est pas par hasard si j'ai écrit un roman sur une bibliothèque qui brûle. J'ai toujours peur que ma maison ne brûle. Et je sais aujourd'hui pourquoi. L'appartement que j'ai habité entre trois et dix ans était situé sous celui du capitaine des pompiers de ma ville. Très souvent, parfois plusieurs fois par semaine, un incendie se déclarait en pleine nuit et les pompiers, précédés de leur sirène, venaient arracher leur capitaine à son sommeil. Je me réveillais en entendant le bruit de ses bottes dans l'escalier. Le jour suivant, sa femme racontait à ma mère tous les détails de la tragédie... Vous comprenez pourquoi mon enfance a été obsédée par la menace du feu.

J.-P. de T. : *J'aimerais revenir à ce que sera le destin de vos collections patiemment rassemblées...*

J.-C.C. : Je peux imaginer que ma femme et mes filles vendront ma collection, en tout ou partie, pour payer des droits de succession, par exemple. Ce n'est pas une pensée triste, au contraire : lorsque des livres anciens reviennent sur le marché, ils se dispersent, ils vont ailleurs, ils font des heureux, ils entretiennent la passion bibliophilique. Vous vous

souvenez certainement du colonel Sickels, ce riche
collectionneur américain qui avait la plus extraordinaire collection de littérature française des XIXe et
XXe siècles qu'on puisse imaginer. Il a vendu à
Drouot sa collection de son vivant. La vente a duré
quinze jours. Je l'ai rencontré après cette vente
mémorable. Il n'avait pas de regrets. Il était même
fier d'avoir enflammé pendant deux semaines
quelques centaines de vrais amateurs.

U.E. : Mon sujet est tellement particulier que je
ne sais pas exactement qui ma collection pourrait
réellement intéresser. Je ne voudrais pas que mes
livres finissent dans les mains d'un occultiste qui,
forcément, s'y attacherait, mais pour d'autres
raisons. Peut-être ma collection sera-t-elle achetée
par les Chinois ? J'ai reçu un numéro de la revue
Semiotica, éditée aux Etats-Unis et consacrée à la
sémiotique en Chine. Les citations de mes ouvrages
y sont plus nombreuses que dans nos ouvrages
spécialisés. Peut-être ma collection intéressera-t-elle
un jour, plus que d'autres, des chercheurs chinois
qui voudront comprendre toutes les folies de
l'Occident.

TABLE

JEAN-CLAUDE CARRIÈRE _____

LE VIN BOURRU, Plon.
LA FORCE DU BOUDDHISME, avec le Dalaï lama, Robert
  Laffont.
DICTIONNAIRE AMOUREUX DE L'INDE, Plon.
EINSTEIN S'IL VOUS PLAÎT, Odile Jacob.
FRAGILITÉ, Odile Jacob.
TOUS EN SCÈNE, Odile Jacob.
CONTES PHILOSOPHIQUES DU MONDE ENTIER (LE CERCLE
  DES MENTEURS 1 et 2), Plon.
LE MAHÂBHÂRATA, Albin Michel.
LA CONFÉRENCE DES OISEAUX, Albin Michel.
DICTIONNAIRE AMOUREUX DU MEXIQUE, Plon.

UMBERTO ECO _____

Essais

L'ŒUVRE OUVERTE, Le Seuil.
LA STRUCTURE ABSENTE, Mercure de France.
LA GUERRE DU FAUX, traduction de Myriam Tanant avec la
  collaboration de Piero Caracciolo, Grasset.
LECTOR IN FABULA, traduction de Myriem Bouzaher, Grasset.
PASTICHES ET POSTICHES, traduction de Bernard Guyader,
  Messidor, 10/18.
SÉMIOTIQUE ET PHILOSOPHIE DU LANGAGE, traduction de
  Myriem Bouzaher, PUF.
LE SIGNE : HISTOIRE ET ANALYSE D'UN CONCEPT, adaptation
  de J.-M. Klinkenberg, Labor.
LES LIMITES DE L'INTERPRÉTATION, traduction de Myriem
  Bouzaher, Grasset.
DE SUPERMAN AU SURHOMME, traduction de Myriem
  Bouzaher, Grasset.

JEAN-PHILIPPE DE TONNAC _____

RENÉ DAUMAL, L'ARCHANGE, Grasset.

ENTRETIENS SUR LA FIN DES TEMPS, avec Jean-Claude
Carrière, Jean Delumeau, Umberto Eco, Stephen Jay Gould
(en collaboration avec Catherine David et Frédéric Lenoir),
Fayard, le Livre de Poche.

RÉVÉRENCE À LA VIE, conversations avec Théodore Monod,
Grasset, le Livre de Poche.

SOMMES-NOUS SEULS DANS L'UNIVERS ?, avec Jean
Heidmann, Nicolas Prantzos, Hubert Reeves, Alfred Vidal
Madjar (en collaboration avec Catherine David et Frédéric
Lenoir), Fayard, le Livre de Poche.

PÈRE DES BROUILLARDS, roman, Fayard.

FOUS COMME DES SAGES - SCÈNES GRECQUES ET ROMAINES,
avec Roger-Pol Droit, Le Seuil, Points Seuil.

LA MORT ET L'IMMORTALITÉ, encyclopédie des savoirs et des
croyances, codirigée avec Frédéric Lenoir, Bayard.

LE MYSTÈRE DE L'ANOREXIE, entretiens avec Xavier Pomme-
reau, Albin Michel.

LES CATHARES, LA CONTRE-ENQUÊTE, avec Anne Brenon,
Albin Michel.

Cet ouvrage a été imprimé par

CPI
Firmin Didot
Mesnil-sur-l'Estrée

pour le compte des Éditions Grasset
en octobre 2009

Imprimé en France

Dépôt légal : octobre 2009
N° d'édition : 15881 - N° d'impression : 96442